masaż
uzdrawiający

Tytuł oryginału
HEALING SELF-MASSAGE

First published in Great Britain in 2005
by Collins & Brown Limited,
a member of Chrysalis Books Group Plc,
The Chrysalis Building,
Bramley Road, London W10 6SP, UK

Redaktor prowadzący
Monika Koch

Redakcja
Michał Borzymiński

Redakcja techniczna
Julita Czachorowska

Korekta
Jadwiga Przeczek
Beata Paszkowska

Świat Książki
Warszawa 2007
Bertelsmann Media sp. z o.o.
02-786 Warszawa
ul. Rosoła 10

Skład i łamanie
Gabo s.c., Milanówek

Druk i oprawa
Neografia Martin, Słowacja

ISBN 978-83-247-0297-8
Nr 5583

m a s a ż
uzdrawiający

100 prostych sposobów na ożywienie ciała i umysłu

kristine kaoverii weber

Z angielskiego przełożył Wojciech Bojara

Świat Książki

Spis treści

Wprowadzenie

Zanim wynaleziono urządzenia do masażu oraz leki rozluźniające mięśnie i działające przeciwbólowo, ludzie używali własnych rąk, aby pozbyć się bólu. Masaż jest najbardziej podstawowym narzędziem terapeutycznym, a jego siła lecznicza jest znana od dawna. Wiadomo o tym, ponieważ sztuka i literatura wielu starożytnych kultur, od chińskiej i indyjskiej po grecką i egipską, ukazują masaż jako nierozłączną część procesu leczenia. W czasach nowożytnych masaż nie był uznawany w krajach zachodnich za istotną metodę leczenia do drugiej połowy XX wieku. Obecnie przeżywa on swój renesans, a wzrost popularności zawdzięcza różnorodnym i coraz bardziej doskonałym odmianom. Wiele osób uważa profesjonalny masaż wykonywany regularnie jako konieczny warunek dla ich dobrej kondycji fizycznej, duchowej i emocjonalnej.

Sięgając po tę książkę, możesz dokładnie poznać i uświadomić sobie korzyści, jakie daje masaż. Możesz zapoznać się ze szczególną siłą oddziaływania automasażu, która w naturalny sposób nam pomaga i którą instynktownie rozumiemy. Gdy się zranimy, naszą pierwszą reakcją jest rozmasowanie uderzonego palca u nogi czy stłuczonego łokcia. Gdy boli nas głowa, chwytamy się za czoło lub masujemy kark. A zmęczonym oczom pomaga delikatny ucisk ciepłych palców.

Nawet najprostsza technika automasażu może dać wiele korzyści, od relaksacji i odprężenia po zmniejszenie bólu i poprawę krążenia. Szczególne, silnie oddziałujące ćwiczenia skutecznie pomogą złagodzić różnorodne objawy. A ta

Starożytna chińska ilustracja przedstawiająca obszary ciała używane w akupunkturze.

książka będzie przewodnikiem po uzdrawiającym świecie automasażu.

Wszystkie prezentowane techniki masażu są proste i przejrzyście zilustrowane, co czyni je łatwymi do zrozumienia i wykonania. Wiele z nich może być stosowanych niemal wszędzie: w biurze, samolocie, a nawet podczas

spotkania biznesowego. W przypadku niektórych ćwiczeń najlepszy rezultat można osiągnąć, pozostając w spokoju i odprężeniu przez pewien czas po zakończeniu masażu. Natomiast szybki masaż zastosowany doraźnie może pomóc, nawet jeśli nie masz wiele czasu na jego wykonanie.

Celem tej książki nie jest zastąpienie fachowej opieki medycznej ani leczenie chorób. W przypadku istnienia poważnej dolegliwości, skonsultuj się z lekarzem, zanim zaczniesz korzystać z przedstawionych tu technik masażu.

Malowidło ścienne na grobowcu Ankhmahora (ok. 2345–2181 p.n.e.) w starożytnym Egipcie przedstawiające masaż ręki. (Ankhmahor – wysoki urzędnik w czasach 6. dynastii, nosił tytuł „pierwszego po faraonie" i „nadzorcy Wielkiego Dworu". Miejsce znane także jako tzw. grobowiec lekarski – przyp. tłum.).

Jak korzystać z książki

Prawdopodobnie sięgasz po tę książkę, ponieważ intuicyjnie rozumiesz uzdrawiającą siłę znajdującą się w Twoich rękach. Informacje tu zawarte pokażą, jak opanować tę energię, tak aby łagodzić drobne dolegliwości związane ze współczesnym stylem życia oraz w ogóle czuć się lepiej. Podziel się także swoimi umiejętnościami z rodziną i przyjaciółmi, aby oni również mogli wykorzystać własne zdolności uzdrawiające.

CZĘŚĆ 1: METODY MASAŻU

W tym rozdziale zapoznasz się z różnymi technikami automasażu, aby wykonywać go bezpiecznie i skutecznie. Zauważysz, że metody te różnią się między sobą. Masaż klasyczny trwa długo i jest wyciszający; akupresura dotyczy konkretnego punktu ciała. Refleksologia wykorzystuje bezpośredni, ale przemieszczający się ucisk na poszczególne punkty na ciele. Z pewnością nie zostaniesz szybko mistrzem automasażu, ale znajomość różnych jego rodzajów pomoże Ci wykorzystać przedstawione w tej książce ćwiczenia z większą pewnością i lepszym skutkiem.

CZĘŚĆ 2: DOLEGLIWOŚCI DNIA CODZIENNEGO

Przy każdej dolegliwości przedstawione są z reguły dwie lub trzy różne metody postępowania uwzględniające konkretne sytuacje. Niektóre podrozdziały zawierają wskazówki do szybkiej pomocy, którą możesz zastosować w biurze lub gdy się spieszysz. Większość ćwiczeń wymaga maksymalnie 15 minut, a wiele z nich może być wykonywanych dyskretnie i prawie bez zmiany pozycji ciała. Pamiętaj, że ważna jest konsekwencja w wykonywaniu ćwiczeń, a przestrzeganie zaleceń co do ich liczby w ciągu dnia umożliwi uzyskanie lepszych rezultatów. Jeśli jakaś technika jest nieskuteczna, spróbuj innej i zobacz, czy ta daje lepsze wyniki. Podczas wykonywania masażu staraj się przyjąć najwygodniejszą pozycję. Rozluźnij się i oddychaj głęboko. Jest to ważne, gdyż stan rozluźnienia powoduje lepszą reakcję organizmu. A ta uzdrawiająca reakcja warunkuje skuteczność automasażu.

CZĘŚĆ 3: JAK UTRZYMAĆ DOBRĄ FORMĘ

Ta część książki przedstawia *do-in*, metodę automasażu pochodzącą ze starożytnych Chin. To doskonały sposób na dobre samopoczucie i relaksację. Codzienne wykonywanie tego rodzaju automasażu zapewnia przypływ energii i utrzymanie dobrego stanu zdrowia.

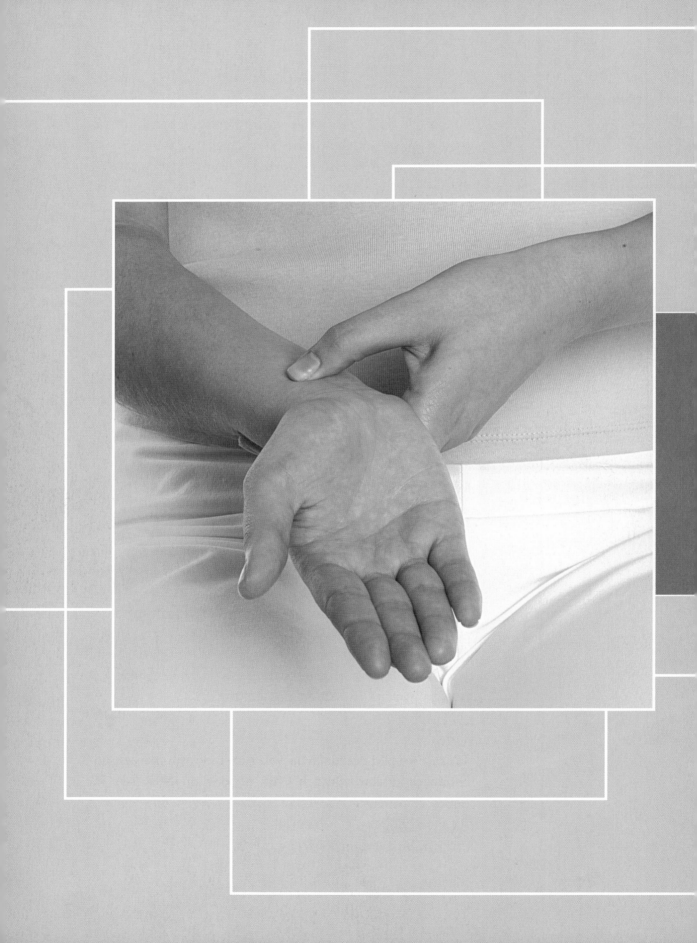

METODY MASAŻU

1

Masaż klasyczny (szwedzki)

Pochodzenie

Masaż klasyczny jest najbardziej znanym i najpopularniejszym rodzajem masażu stosowanego we współczesnej terapii. Jego pierwsze zastosowanie przypisuje się szwedzkiemu lekarzowi Pehrowi Henrikowi Lingowi (1776–1839). Uprawiał on szermierkę, a z powodu zmian reumatycznych barku stosował w leczeniu kombinację różnych ćwiczeń i masażu. Z czasem rozpropagował swoją metodę terapii ruchem, co dało początek szwedzkiemu systemowi wychowania fizycznego. (W 1813 roku założył także słynny Królewski Centralny Instytut Gimnastyczny w Sztokholmie – przyp. tłum.).

Wyjątkowość metody Linga polegała na połączeniu pewnych rodzajów ćwiczeń fizycznych z masażem określonych miejsc ciała. W ten oczywisty sposób Ling przyczynił się do spopularyzowania masażu jako metody leczenia. Jednak podstawowe techniki, stosowane i polecane współcześnie, opracował Duńczyk, Johan Georg Mezger (1838–1909). Wprowadził on francuskie nazewnictwo opisujące główne techniki używane w masażu i w ten sposób usystematyzował tę formę terapii, nazwaną później masażem szwedzkim lub masażem klasycznym.

Masaż klasyczny jest podstawą prawie wszystkich pozostałych rodzajów masażu powstałych w krajach zachodnich. Znajomość pewnych jego elementów jest konieczna do skutecznego wykonywania automasażu.

Jak to działa

Masaż klasyczny korzysta z kilku podstawowych technik stosowanych w różnych odmianach. Każda z nich ma za zadanie spowodować określony skutek terapeutyczny. Może nim być rozluźnienie usztywnionych obszarów mięśniowych, poprawa przepływu krwi i przepływu limfatycznego, złagodzenie bólu oraz ogólne odprężenie. Zasadniczo ruchy masu-

jące wykonuje się w stronę serca, przez co wspomagają krążenie i ułatwiają przepływ produktów metabolizmu uwalnia-
nych z mięśni w trakcie masażu. Jednak są od tego wyjątki,
np. w automasażu stóp (patrz s. 14) ruchy masujące wykonuje się od serca. Przeciwwskazaniami do stosowania automasażu klasycznego są: zakażenia skóry, rany, skaleczenia, sińce
oraz stany zapalne tkanek miękkich.

Techniki

Chociaż istnieje kilka różnych technik wykonywania masażu klasycznego, opanowanie trzech wymienionych poniżej
wystarcza do stosowania automasażu.

Techniki

Głaskanie

Najczęściej stosowana technika w masażu klasycznym. Polega
na delikatnym gładzeniu powierzchni skóry.

Ugniatanie

Ta technika polega na pociąganiu, wyciskaniu i ściskaniu mięśnia. Stosuje
się ją w celu oczyszczenia mięśni z produktów przemiany materii oraz
przerwania nieprawidłowych zrostów.

Rozcieranie

Technika często stosowana, aby wniknąć w mięsień nieco głębiej
niż głaskanie lub ugniatanie. Jest użyteczna na małych obszarach ciała
i wokół kości.

Samodzielne wykonywanie masażu klasycznego stóp

Aby wykonać głaskanie stóp, zdejmij skarpety, usiądź na wygodnym krześle i połóż lewą stopę na prawym udzie. (Nie martw się, jeśli nie jesteś na tyle rozciągnięty, aby to zrobić – inny sposób opisany poniżej umożliwi Ci przećwiczenie techniki głaskania). Rozetrzyj dłonie jedna o drugą, aby je rozgrzać. Jeśli chcesz, możesz użyć odrobinę oleju roślinnego, ale nie jest to konieczne.

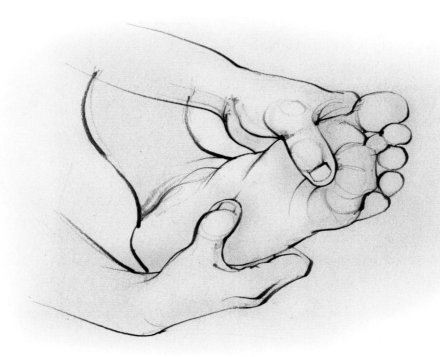

1 Przesuwaj całą wewnętrzną powierzchnię kciuka po podeszwie, od pięty w stronę palców. Zanim skończysz ten ruch, rozpocznij taki sam, używając kciuka drugiej ręki. Stosuj dodatkowy ucisk na obszary bolesne.

Ogranicz masaż do tych miejsc. Kontynuuj naprzemienne głaskanie kciukami przez 2 minuty, a następnie powtórz masaż na drugiej stopie.

Samodzielne wykonywanie masażu klasycznego rąk

Jeśli nie możesz w wygodny i łatwy sposób sięgnąć do stóp, wypróbuj technikę głaskania na rękach. Do tego ćwiczenia możesz mieć na sobie koszulkę z krótkim rękawem. Rozetrzyj dłonie jedna o drugą, aby je rozgrzać. Jeśli chcesz, możesz użyć odrobinę oleju roślinnego, ale nie jest to konieczne.

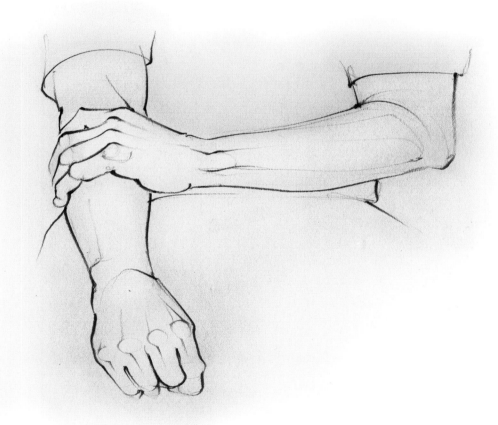

1 Połóż dłoń na nadgarstku, palcami obejmij zewnętrzną jego powierzchnię, a kciuk ułóż pod nadgarstkiem. Palce trzymaj razem. Delikatnie uciskając, przesuwaj rękę w górę w stronę barku. Powtórz kilka razy.

2 Następnie usiądź nieruchomo przez kilka chwil i zwróć uwagę na odczucia w masowanej ręce. Możesz poczuć ciepło, mrowienie, rozluźnienie. Powtórz masaż na drugiej ręce.

Samodzielne wykonywanie masażu klasycznego barku

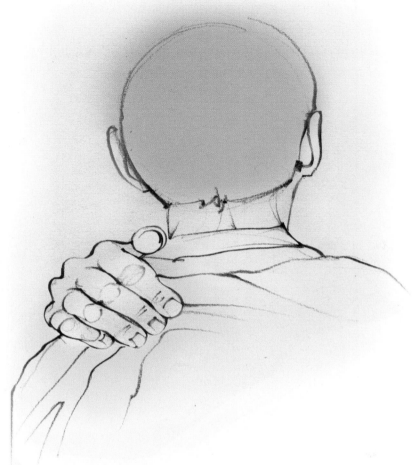

1 Usiądź na wygodnym krześle. Wykonuj długie, głębokie rozcieranie lewego barku, kilkakrotnie przesuwając palce prawej ręki od podstawy czaszki w stronę zewnętrznej powierzchni barku. Palce trzymaj razem.

po każdym uciśnięciu. Bolesne miejsca możesz masować dłużej i uciskać głębiej. Kontynuuj co najmniej przez minutę.

2 Aby zastosować technikę ugniatania, połóż wszystkie palce razem na grubej warstwie mięśni na szczycie barku. Dłoń ułóż zaraz nad obojczykiem. Przyciśnij palce do dłoni i utrzymuj krótki ucisk. Powtórz kilka razy. Przesuwaj rękę w nieco inne miejsce

3 Teraz usiądź nieruchomo, weź kilka głębokich oddechów i poczuj różnicę między barkami. Powtórz masaż na drugim barku. Zmieniaj siłę ucisku; napięte obszary mięśni raz naciskaj głębiej palcami, raz uciskaj mocniej dłonią.

Samodzielne wykonywanie masażu klasycznego żuchwy

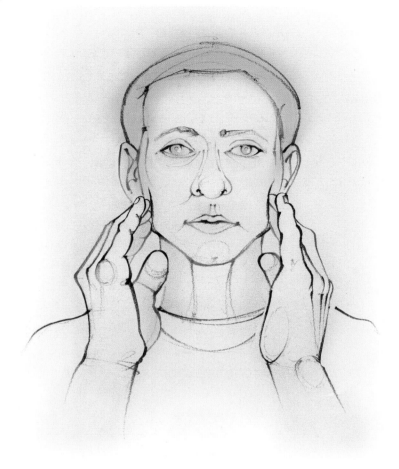

1 Połóż opuszki palców na policzkach na wysokości uszu. Zaciśnij szczęki, a poczujesz napinające się po obu stronach mięśnie – to je będziesz masować. Rozluźnij zaciśnięte szczęki i na znalezionych uprzednio mięśniach wykonuj opuszkami palców małe, okrężne ruchy raz w jedną, raz w drugą stronę. Ta technika masażu nazywana jest rozcieraniem okrężnym. Masowane miejsca mogą stać się bolesne, więc zacznij delikatnie, a nacisk zwiększaj powoli. Kontynuuj przez minutę.

2 Następnie próbuj przesuwać opuszki palców nad różne obszary mięśni, ciągle wykonując okrężne ruchy. Kontynuuj przez kolejną minutę. Masowany mięsień często jest sztywny i ma wiele małych „węzełków", które stają się wyczuwalne w trakcie masażu. Ten prosty automasaż, wykonywany codziennie, może zmniejszyć napięcie w okolicy żuchwy.

Akupresura

Pochodzenie

Terminem tym ogólnie określa się wszelkie rodzaje masażu, który w celu osiągnięcia efektu terapeutycznego stymuluje tzw. punkty akupresury (punkty ucisku) znajdujące się na ciele. Akupresura wywodzi się z Azji, a od tysięcy lat jest istotną częścią medycyny chińskiej. W XX wieku rozprzestrzeniła się po świecie i zmieniała się, tworząc różne odmiany. Niektóre z nich, *jak jin shin jitsu*, *shiatsu*, *zen shiatsu*, *shen tao*, *jin shen*, *jin shin do*, *tuina*, *acu-joga* oraz *do-in* (patrz s. 86–93), są obecnie bardzo popularne. Wszystkie rodzaje akupresury wykorzystują naciskanie palcami, dłońmi, łokciami lub stopami na różne punkty ucisku. Niektóre łączą też w sobie techniki masażu, inne skupiają się wyłącznie na ucisku punktów. Niektóre wykorzystują silne uciskanie, inne – bardzo delikatne. Zawarte w tej książce wskazówki dotyczące akupresury są przedstawione w sposób prosty i bezpośredni, abyś mógł osiągnąć dobre wyniki automasażu.

Meridiany

Akupresura wykorzystuje specjalne punkty leżące na meridianach. Meridiany to niewidzialne kanały energetyczne, które przenoszą przez całe ciało energię życiową *chi*. Dwanaście głównych meridianów kontroluje różne organy, np. wątrobę, nerki, serce. Jeśli wyobrazić sobie meridiany jako rzeki energii, wtedy punkty akupresury będą małymi zbiornikami lub tamami na tych rzekach. Czasami zbiorniki stają się zbyt przepełnione, a innym razem są puste. Zastosowanie uciskania może regulować przepływ w tych rzekach, tak aby był bardziej równomierny.

Medycyna chińska

Medycyna chińska to stary i skomplikowany system istniejący od ponad pięciu tysięcy lat. Chińscy medycy używają różnych metod diagnostycznych, takich jak np. wygląd języka

czy 12 rodzajów tętna na nadgarstku, aby określić sposób leczenia każdego chorego. Leczenie może polegać na stosowa-
niu akupunktury, ziół, moksy (przykładanie do ciała rozża-
rzonych, tlących się ziół), baniek, akupresury i masażu. Choć
potrzeba wielu lat, aby pewnie poruszać się w tym złożonym
systemie medycyny, to proste i bezpieczne techniki akupresury mogą być wykonywane prawie przez każdego. Zapo-
znanie się z kilkoma podstawowymi technikami pomoże Ci
utrzymać zdrowie i poradzić sobie z powszednimi dolegli-
wościami.

Jak wykonywać akupresurę

Punkty akupresury możesz sobie wyobrazić jako obszary
nieco większe od opuszki kciuka. Nie musisz ich odnajdywać
z przesadną dokładnością. Czucie bolesności lub podrażnienia nerwu pomogą w dokładniejszym odnalezieniu punktu
akupresury i skuteczniejszym leczeniu. Niektóre punkty są
bardziej wrażliwe, ale czasami w ogóle nie będziesz odczuwać żadnego bólu. Jeśli postępujesz dokładnie według wskazówek, możesz przyjąć, że właściwie odszukasz dany punkt.
Kiedy go już znajdziesz, często wystarczającą stymulacją jest
nieprzerwany, ciągły nacisk lub małe, okrężne ruchy masujące przez 1–3 minuty. Ważne jest, aby w miarę możliwości pobudzać ten sam punkt po obu stronach ciała.

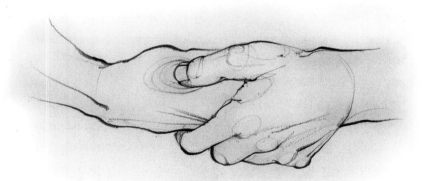

Pobudzanie punktu akupresury
Jelito grube 4 (punkt *hoku*),
jednego z najbardziej znanych,
często wykorzystywanego
w przypadku bólów głowy,
zębów i zaparć.

Refleksologia

Pochodzenie

Refleksologia polega na zastosowaniu ucisku na określone punkty na dłoniach i stopach, które mają połączenie z narządami ciała. Chociaż powszechnie uważa się, że refleksologia pochodzi z Chin, istnieją dowody na to, że stosowali ją starożytni Egipcjanie, Babilończycy i Indianie z Ameryki Północnej. Płaskorzeźba z tzw. grobowca lekarskiego w egipskim mieście Sakkara, datowana na 2350 r. p.n.e., ukazuje refleksologię dłoni i stóp.

Strefy równoległe

Refleksologia stosowana współcześnie w krajach zachodnich ma swoje korzenie w pochodzących z XIX wieku rosyjskich i niemieckich badaniach naukowych. Amerykanin, doktor William Fitzgerald, który pracując w Wiedniu, studiował teorie refleksów, połączył niektóre ze wspomnianych badań z własnymi poglądami i w 1917 roku opublikował książkę *Terapia strefowa*. Fitzgerald podzielił ciało na 10 równoległych stref energii, biegnących od stóp przez nogi i ręce do mózgu. Strefy te zostały ponumerowane cyframi od 1 do 5, od środka na zewnątrz po obu stronach ciała. Fitzgerald zakładał, że upośledzenie swobodnego przepływu energii życiowej *chi* oddziałuje na istotne części ciała i organy znajdujące się w określonej strefie.

Refleksy na stopach

Fitzgerald nauczył terapii strefowej swojego przyjaciela, doktora Shelby'ego Rileya. Jednak to współpracowniczka Rileya, fizjoterapeutka Eunice Ingham, szczególnie zainteresowała się tym zagadnieniem. Ingham wykonała wiele prób w poszukiwaniu związku między określonymi obszarami na stopach a 10 strefami równoległymi, zanim mogła sporządzić mapę całego ciała na powierzchni stopy.

Wykonywanie technik refleksologii

Refleksy to bardzo małe obszary, więc muszą być pobudzane bezpośrednio i dokładnie. Okrężne rozcieranie lub pocieranie „tam i z powrotem" nie jest tak skuteczne, jak szczypanie, czy tzw. rotacja w punkcie lub pełzanie kciukiem.

SZCZYPANIE

To właśnie to, co znaczy – szczypanie palcem wskazującym i kciukiem, aby dokładnie pobudzić dany obszar. Zwykle to kciuk pobudza refleks, podczas gdy palec wskazujący stabilizuje po drugiej stronie dłoni lub stopy.

1 Szczypanie

ROTACJA W PUNKCIE

Aby zastosować tę technikę, połóż kciuk na refleksie, a pozostałe palce wokół dłoni lub stopy. Kciukiem wywieraj nacisk na refleks, wspomagaj go palcami ułożonymi po drugiej stronie. Następnie obracaj kciukiem, utrzymując nacisk.

2 Rotacja w punkcie

PEŁZANIE KCIUKIEM

Opanowanie tej techniki wymaga nieco więcej ćwiczeń. Często opisuje się ją jako pełzanie kciuka po refleksach jak gąsienica. Połóż opuszkę kciuka na przeciwnej dłoni. Teraz zegnij kciuk w stawie i podwiń jego koniec (patrz rys. 3a). Następnie wyprostuj kciuk, przesuwając go do przodu o około pół centymetra. Nie odrywaj kciuka od dłoni (patrz rys. 3b). Powtórz ćwiczenie kilka razy, zanim nabierzesz łatwości w jego wykonywaniu.

3a Pełzanie kciukiem

3b

Inne techniki masażu

Inne, również proste techniki masażu proponowane w tej książce to terapia punktów spustowych (ang. *trigger-point therapy*), indyjski masaż głowy, ręczny drenaż limfatyczny oraz masaż aromaterapeutyczny.

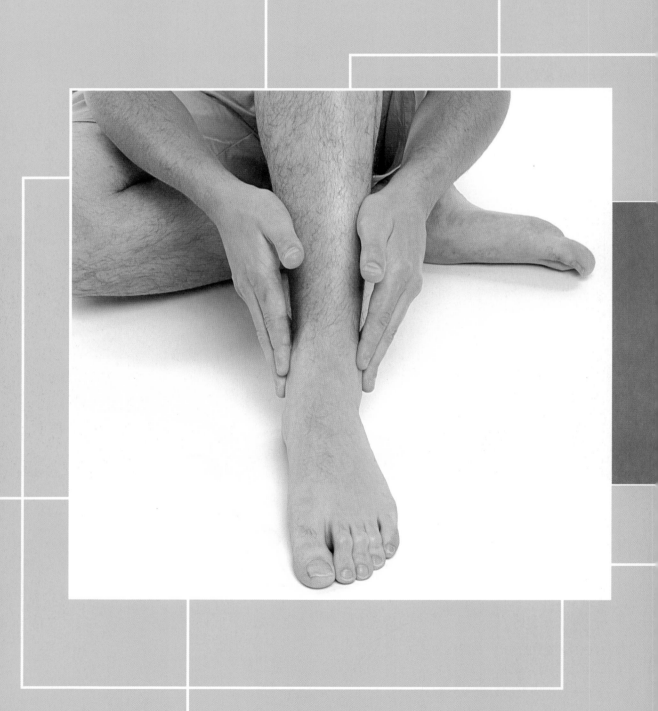

DOLEGLIWOŚCI DNIA CODZIENNEGO

2

Lęk

Dla niektórych osób rozmowa kwalifikacyjna przy podejmowaniu pracy lub wygłaszanie przemówienia są paraliżujące. Automasaż może zmniejszyć poczucie lęku i ułatwia radzenie sobie z takimi sytuacjami. W przypadku przewlekłych zaburzeń lękowych zawsze należy zwrócić się do lekarza specjalisty. Techniki prezentowane poniżej zarówno zmniejszą lęk związany z sytuacjami codziennymi, jak też będą uzupełnieniem fachowej terapii w poważniejszych zaburzeniach lękowych.

Automasaż

CEL
rozluźnienie mięśni oddechowych i złagodzenie lęku

JAK CZĘSTO STOSOWAĆ
dwa razy dziennie

PRZECIWWSKAZANIA
każda choroba serca lub płuc

TEMATY POKREWNE
problemy z oddychaniem s. 30

Lęk stwarza napięcie duchowe i emocjonalne, utrudnia oddychanie i powoduje wzrost częstości bicia serca. Masowanie klatki piersiowej pomaga rozluźnić napięte mięśnie, ułatwia oddychanie oraz łagodzi emocjonalne składniki lęku.

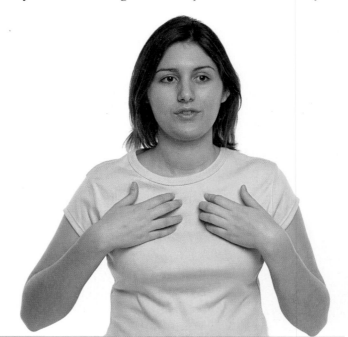

1 Opuszkami rozstawionych palców masuj mięśnie pomiędzy żebrami. Zacznij na brzegu klatki piersiowej, pod obojczykiem, i masuj w stronę serca.

2 Przemieść palce na wysokość pachy i kontynuuj masaż. Masuj w stronę mostka, najpierw od pachy do brodawki sutkowej, następnie od brodawki sutkowej do mostka.

Oto kilka wskazówek, jak radzić sobie w sytuacjach wyzwalających lęk:

- Wykonuj regularne ćwiczenia fizyczne i dłużej sypiaj.
- Zaprzestań lub ograniczyć spożycie kofeiny.
- Zamiast sięgać po papierosa, uczęszczaj kilka razy w tygodniu na zajęcia jogi.
- Przydatne może być dodawanie kilku kropel olejku lawendowego do gorącej kąpieli lub do oleju do masażu stóp (patrz s. 80–81).
- Rozważ zaplanowanie fachowego masażu na dzień przed sytuacjami wyzwalającymi lęk, jak wystąpienie publiczne lub spotkanie biznesowe.

3 Ułóż palce na dolnej części klatki piersiowej i masuj tę okolicę od strony zewnętrznej w stronę dolnej części mostka.

4 Następnie weź głęboki oddech. Podczas wdechu opukuj opuszkami palców całą klatkę piersiową.

5 Podczas wydechu oklepuj dłońmi klatkę piersiową i dolne żebra. Powtarzaj krok 4. i 5. przez trzy do pięciu wdechów.

Akupresura

CEL
uspokojenie umysłu i ciała

JAK CZĘSTO STOSOWAĆ
kilka razy dziennie

PRZECIWWSKAZANIA
nieznane

TEMATY POKREWNE
dolegliwości menstruacyjne s. 60

DODATKOWE WSKAZANIA
punkt *Osierdzie 8* – zmęczenie, stwardnienie tętnic, nadciśnienie tętnicze; punkt *Osierdzie 6* – nudności, choroba lokomocyjna, bezsenność, kołatanie serca, padaczka

Na dłoniach znajduje się kilka punktów akupresury, które wykorzystuje się, aby uspokoić umysł. W starych filmach często jest scena, w której bohaterka w trudnej sytuacji ściska sobie dłonie. Ten masaż dłoni to właśnie instynktowny sposób radzenie sobie ze stresem. Masowanie dłoni działa bardzo wyciszająco i pomaga ograniczyć lęk.

Biegnący po wewnętrznej stronie ręki meridian osierdzia jest szczególnie ważny w leczeniu lęku i stresu. Samo osierdzie to osłona chroniąca serce. W ujęciu medycyny chińskiej, bardziej metaforycznej i poetyckiej niż zachodnioeuropejska, ochrona ta ma wymiar nie tylko fizyczny, ale także emocjonalny.

1 Powoli i dokładnie rozmasuj dłonie, palce i nadgarstki. Zwróć szczególną uwagę na bolesne miejsca i poświęć im więcej czasu.

2 Masuj punkt *Osierdzie 8*: połóż kciuk w środku dłoni i masuj ruchem okrężnym przez minutę. Powtórz na drugiej dłoni.

3 Masuj punkt *Osierdzie 6*: połóż kciuk pomiędzy ścięgnami po wewnętrznej stronie nadgarstka. Masuj na obszarze 2,5 szerokości kciuka, ruchami okrężnymi przez minutę. Powtórz na drugim nadgarstku.

Równowaga czakramów

CEL
uspokojenie umysłu i ciała

JAK CZĘSTO STOSOWAĆ
kilka razy dziennie

PRZECIWWSKAZANIA
nieznane

DODATKOWE WSKAZANIA
koncentrowanie i podtrzymywa-
nie uwagi

Automasaż wykorzystuje się, aby przywrócić równowagę czakramów. Według medycyny wschodniej, główne centra energetyczne ciała (czakramy) rozmieszczone są w siedmiu miejscach wzdłuż kręgosłupa i oddziałują na zewnątrz po obu stronach ciała, do przodu i do tyłu. Nierównowaga czakramów prowadzi do zaburzeń równowagi emocjonalnej lub umysłowej. W czakramie 4 i 6 znajdują się punkty akupresury przydatne w leczeniu lęku. Po zakończeniu opisanego poniżej ćwiczenia możesz małymi, okrężnymi ruchami masować okolice wymienionych czakramów.

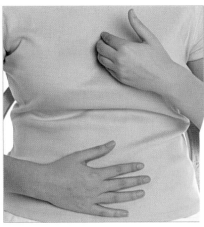

1 Zamknij oczy i połóż opuszki palców jednej ręki na środku czakramu 6 (pomiędzy brwiami), a opuszki palców drugiej ręki na środku czakramu 4 (pośrodku klatki piersiowej). Oddychaj głęboko i poczuj połączenie między obiema dłońmi.

2 Po kilku głębokich oddechach zabierz rękę z czakramu 6 i połóż ją nad żołądkiem, na wysokości pępka. Pozwól oddechowi i myślom odpłynąć w dół ciała. Wyobraź sobie, że lęk topnieje i wsiąka w ziemię.

3 Następnie połóż obie dłonie na udach, wykonaj kilka głębokich oddechów i otwórz oczy.

Zapalenie stawów

Automasaż może dawać ulgę osobom cierpiącym z powodu zapalenia stawów. Wyróżnia się różne rodzaje zapaleń stawów, dlatego poszczególne techniki będą dawać różne rezultaty u różnych osób. Wypróbuj zatem kilka z nich, aby przekonać się, która będzie dla Ciebie właściwa. Nie masuj bezpośrednio stawów w aktywnym stanie zapalnym, ponieważ może to pogorszyć chorobę. Jeśli objawy nasilają się, najlepiej wykorzystywać punkty akupresury znajdujące się poza chorym stawem i nie masować go bezpośrednio, lecz okolicę wokół niego.

Automasaż przy bólach dłoni

CEL
złagodzenie bólu stawów dłoni

JAK CZĘSTO STOSOWAĆ
pięciominutowy masaż raz lub dwa razy dziennie

PRZECIWWSKAZANIA
aktywny stan zapalny stawu

TEMATY POKREWNE
sztywność stawów s. 52

DODATKOWE WSKAZANIA
zmęczenie rąk

Codzienny automasaż chorych stawów może być bardzo korzystny, o ile nie stwierdza się objawów aktywnego stanu zapalnego. Należy szczególnie podkreślić znaczenie utrzymania zakresu ruchów w stawach. W tym celu chwytaj staw jedną lub dwoma rękami. (W tym przykładzie masujemy palec, zatem możesz wykorzystać tylko jedną rękę, ale w przypadku stawu skokowego lub palucha stopy należy używać obu rąk). Poruszaj delikatnie we wszystkich kierunkach. Jeśli poczujesz ból, oznacza to, że rozciągasz staw zbyt mocno.

1 Masuj stawy najbardziej zmienione chorobowo. Obracaj, zginaj i wyprostowuj każdy palec.

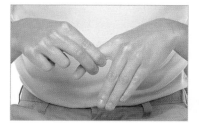

2 Masuj kości wokół stawu. Przesuwaj palce w górę i w dół, naciskaj na każdą z kości kilka razy. W ten sposób masujesz nerwy zaopatrujące bolący staw.

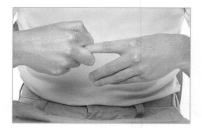

3 Uciskaj opuszkę każdego palca, a następnie szybko puszczaj, aby pobudzić przepływ krwi.

Akupresura przy bólach dłoni

CEL
złagodzenie bólu stawów dłoni

JAK CZĘSTO STOSOWAĆ
kilka razy dziennie

PRZECIWWSKAZANIA
ciąża

TEMATY POKREWNE
bóle głowy s. 46, sztywność stawów s. 52, ból zębów s. 82

DODATKOWE WSKAZANIA
zaparcia, bóle głowy, zębów, twarzy, przeziębienie

Ten punkt akupresury doskonale wykorzystuje się przy różnych rodzajach bólu. Najlepsze rezultaty osiągniesz w połączeniu z automasażem dłoni przedstawionym poniżej.

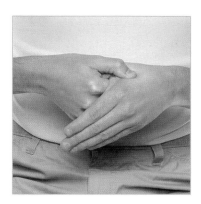

1 Uciskaj punkt *Jelito grube 4*; aby znaleźć ten punkt, przesuń kciuk do miejsca, gdzie stykają się kości kciuka i palca wskazującego drugiej ręki. Następnie przesuń kciuk w górę i naciskaj na kość palca wskazującego. Poczujesz „prąd" lub podrażnienie nerwu. Masuj ten punkt małymi, okrężnymi ruchami przez 1–2 minuty.

Akupresura przy bólach kolana

CEL
złagodzenie bólu kolana, szczególnie w przebiegu choroby zwyrodnieniowej

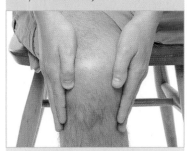

JAK CZĘSTO STOSOWAĆ
dwa do trzech razy dziennie

PRZECIWWSKAZANIA
nieznane

TEMATY POKREWNE
bóle kolan s. 54

DODATKOWE WSKAZANIA
zaparcia, dolegliwości żołądkowe, zmęczenie

Ten rodzaj masażu okaże się szczególnie korzystny, jeśli będziesz wykonywać go przynajmniej raz dziennie.

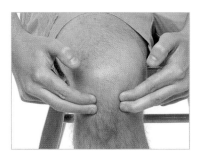

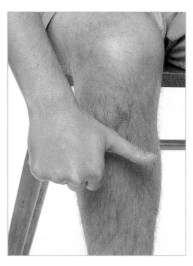

1 Rozpocznij od energicznego rozcierania kolana. Masuj mięśnie wokół kolana. Kontynuuj przez 2–3 minuty.

2 Palcem wskazującym i środkowym masuj przez 1–2 minuty punkt *xiyan* znajdujący się tuż poniżej rzepki, po obu stronach więzadła.

3 Następnie przez 1–2 minuty rozcieraj zgiętymi palcami punkt *Żołądek 36* znajdujący się w odległości czterech palców poniżej bocznej krawędzi rzepki.

Problemy z oddychaniem

Techniki automasażu można wykorzystać, aby uspokoić ciało, a przez to zwiększyć swobodę oddychania. Ćwiczenia przedstawione w tym rozdziale pomogą wzmocnić i odnowić energię *chi* płuc i nerek oraz ułatwią oddychanie. Techniki automasażu nie wyleczą schorzeń oddechowych, ale mogą uzupełniać opiekę medyczną i być sposobem na branie czynnego udziału we własnym procesie leczniczym.

Automasaż

CEL
poprawa oddechu

JAK CZĘSTO STOSOWAĆ
dwa do trzech razy dziennie

PRZECIWWSKAZANIA
w przypadku poważnych chorób układu oddechowego
(np. w przewlekłej obturacyjnej chorobie płuc – POChP) zawsze najpierw skonsultuj się z lekarzem

TEMATY POKREWNE
lęk s. 24

Zła postawa i płytki oddech mogą osłabiać mięśnie klatki piersiowej oraz upośledzać pojemność oddechową. Ta technika automasażu pomoże usunąć napięcie klatki piersiowej oraz rozluźni mięśnie oddechowe.

1 Wykonując głęboki wdech, szybko opukuj opuszkami palców przednią powierzchnię górnych żeber.

2 Zrób wydech przez usta i całymi dłońmi oklepuj górne żebra. Powtórz trzy razy krok 1. i 2. Następnie wykonaj całe ćwiczenie dla dolnych żeber.

3 Zaciśnij dłonie w pięści i masuj nimi okolicę nerek znajdującą się na plecach, tuż poniżej żeber. Masuj przez minutę.

Akupresura

CEL
złagodzenie przeziębienia, gorączki, kaszlu, astmy, zapalenia oskrzeli

JAK CZĘSTO STOSOWAĆ
dwa do trzech razy dziennie

PRZECIWWSKAZANIA
nieznane

TEMATY POKREWNE
napięcie karku i barków s. 66

DODATKOWE WSKAZANIA
ból barku i pleców przy dolegliwościach z układu oddechowego

Wykonuj ten masaż kilka razy dziennie w przypadku przeziębienia lub kaszlu. Nie martw się o bardzo precyzyjne odnajdywanie punktów akupresury; przyjmuje się, że są one wielkości średniej monety. Nawet jeśli dokładnie nie zlokalizujesz punktu, sam masaż pomoże i będzie działał relaksująco. Ten masaż może być także przydatny w przewlekłych dolegliwościach oddechowych.

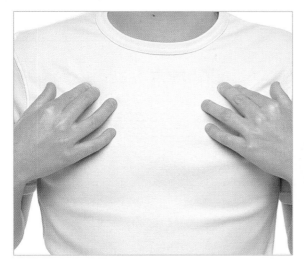

1 Poniżej obojczyków po obu stronach klatki piersiowej, w miejscu ich połączenia z barkami, znajdź miękki obszar, który może być wrażliwy przy naciskaniu palcami. Jest to orientacyjna lokalizacja punktów *Płuco 1 i 2*, które doskonale nadają się do ćwiczeń rozluźniających płuca i ułatwiających oddychanie. Połóż dwa lub więcej palców na tych miękkich miejscach i masuj delikatnymi, okrężnymi ruchami co najmniej przez minutę.

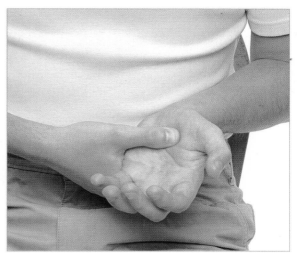

2 Następnie odszukaj punkt *Płuco 10*, znajdujący się po środku kłębu kciuka. Ten punkt również doskonale nadaje się, aby rozluźnić płuca. Łatwo go znaleźć, ponieważ często jest nieco bardziej wrażliwy. Masuj ten punkt na obu dłoniach co najmniej przez minutę każdy.

Problemy z krążeniem

Istnieje wiele przyczyn upośledzających krążenie krwi, a niektóre z nich są poważne. Przyczynami gorszego krążenia są: cukrzyca, stwardnienie naczyń (inaczej arterioskleroza), choroba Raynauda, palenie tytoniu, podwyższone ciśnienie tętnicze krwi, podwyższony poziom cholesterolu we krwi, otyłość, żylaki i zapalenie żył. Upośledzone krążenie krwi może być także spowodowane wychłodzeniem organizmu lub brakiem ruchu albo wynikać z przyczyn genetycznych. Bez względu na przyczynę, masaż jest powszechnym sposobem na poprawę krążenia krwi. Jeśli jednak rozpoznano u Ciebie poważne schorzenie układu krążenia, skonsultuj się z lekarzem, zanim spróbujesz samodzielnie wykonywać masaż.

Automasaż

CEL
poprawa krążenia, szczególnie w obszarze dłoni i stóp

JAK CZĘSTO STOSOWAĆ
dwa razy dziennie

PRZECIWWSKAZANIA
owrzodzenia stóp lub inne otwarte rany

TEMATY POKREWNE
sztywność stawów s. 52, zmęczone stopy s. 80

DODATKOWE WSKAZANIA
wyciszenie umysłu, ćwiczenie i ugruntowanie techniki automasażu

Jedną z najbardziej pożądanych korzyści zdrowotnych masażu jest właśnie poprawa krążenia. Szczegółowe informacje na ten temat znajdziesz obok, w *Tematach pokrewnych*.

1 Szybkimi i mocnymi ruchami rozcieraj dłonie, palce i nadgarstki. Zwróć szczególną uwagę na każdy bolesny obszar. Poświęć im dodatkowy czas. Możesz użyć olejku lub kremu do masażu.

2 Nałóż na stopy olej lub krem do masażu. Szybkimi i mocnymi ruchami rozcieraj stopy, palce stóp i stawy skokowe. Podobnie jak przy dłoniach, szczególną uwagę zwróć na bolesne obszary.

Refleksologia

CEL
poprawa krążenia, szczególnie
w obszarze dłoni i stóp

JAK CZĘSTO STOSOWAĆ
dwa razy dziennie

PRZECIWWSKAZANIA
otwarte rany, owrzodzenia stóp
w obszarze refleksu

TEMATY POKREWNE
zastrzyk energii s. 40

DODATKOWE WSKAZANIA
zmęczenie

1 Połóż stopę na przeciwległym
udzie. Wyznacz odcinek
biegnący od palucha w kierunku
stawu skokowego. Refleks
odpowiedzialny za nadnercze
znajduje się na podeszwie, nieco
bliżej palucha niż środek
wyznaczonego odcinka (patrz rys.
po prawej). Wykonuj pełzanie
kciukiem (patrz s. 21) na tym
refleksie. Kontynuuj przez
2 minuty, a następnie powtórz
na drugiej stopie.

Masowanie refleksu odpowiedzialnego za nadnercza może poprawić krążenie krwi. Znalezienie tego refleksu na stopie może okazać się trudne, jednak u większości osób jest to obszar drażliwy, bolesny lub napięty.

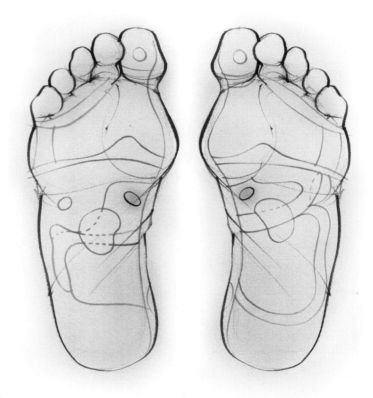

Praca przy komputerze

Jeśli spędzasz dużo czasu przed komputerem, wiesz, że mimo pozostawania w bezruchu, ciało bardzo się męczy. Ergonomiczne miejsce pracy może zmniejszyć napięcie związane z pracą przy komputerze. Stopy powinny płasko stać na podłodze, okolica krzyża mieć oparcie, ekran znajdować się na wysokości wzroku, a nadgarstki i przedramiona powinny być wyprostowane. Powinieneś regularnie odrywać wzrok od monitora i wstawać oraz robić przerwy co godzinę. Nawet jeśli stosujesz się do tych wskazówek, możesz odczuwać zmęczenie oczu, bolesność nadgarstków lub dolegliwości związane z zespołem cieśni nadgarstka, ból krzyża, barków i karku. Automasaż może tu pomóc.

Automasaż

CEL
złagodzenie napięcia spowodowanego pracą przy komputerze

JAK CZĘSTO STOSOWAĆ
pięciominutowe cykle, trzy do pięciu razy dziennie

TEMATY POKREWNE
problemy z krążeniem s. 32, zmęczone oczy s. 42, sztywność stawów s. 52, bóle krzyża s. 56, napięcie karku i barków s. 66

DODATKOWE WSKAZANIA
każdy rodzaj powtarzającej się czynności powodującej napięcie

Oto przykład rutynowych ćwiczeń, które możesz wykonywać podczas przerwy w pracy. Pomogą one uwolnić ciało od ogólnego napięcia związanego z wielogodzinną pracą przed komputerem. Jeśli odczuwasz konkretną dolegliwość (np. ból krzyża), skorzystaj z odnośników w *Tematach pokrewnych*, aby zastosować bardziej rozbudowany masaż danego obszaru ciała.

1 Najpierw rozcieraj dłonie jedna o drugą, aby je rozgrzać. Połóż ciepłe opuszki palców na oczach i weź dwa głębokie oddechy. Powtórz dwa do trzech razy.

2 Prawą ręką ugniataj lewy bark.

3 Następnie ugniataj ramię i kontynuuj w dół, w stronę nadgarstka i dłoni.

Powtórz dwa do trzech razy. Poświęć dodatkowy czas na ściskanie nadgarstka.

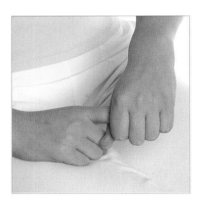

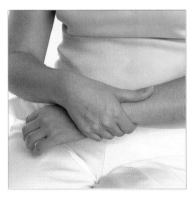

Wykonuj ten sam masaż po wewnętrznej stronie przedramienia. Powtórz kolejno całą sekwencję ćwiczeń po prawej stronie. Na końcu zaciśnij palce w pięści. Pochyl się do przodu i zdecydowanie rozcieraj pięściami okolicę krzyża z góry na dół i na boki. Kontynuuj co najmniej przez minutę.

4 Teraz kolejno ściskaj i kręć każdym palcem.

5 Połóż prawy kciuk pośrodku na szczycie nadgarstka. Głęboko naciskając, pocieraj kciukiem przedramię na 1/3 długości między nadgarstkiem a łokciem. Powtórz rozcieranie kilka razy.

Zaparcia

Jeżeli zaparcia występują u Ciebie przewlekle, wykonuj przez tydzień lub dwa tygodnie jeden z poniższych zestawów ćwiczeń. Możesz zaobserwować wyraźną poprawę. Zwalczanie zaparć powinno uwzględniać również ocenę diety i odpowiednią jej zmianę. Na przykład, możesz potrzebować więcej błonnika lub ograniczyć spożycie wysoko przetworzonej żywności. Poniższe techniki automasażu mogą być pomocne zarówno w przypadku przewlekłych zaparć, jak i w tych zdarzających się sporadycznie.

Automasaż

CEL
poprawa perystaltyki jelita grubego

Poza pomocą w razie sporadycznych zaparć, ta prosta technika automasażu dodatkowo złagodzi inne dolegliwości układu pokarmowego i wzmocni go.

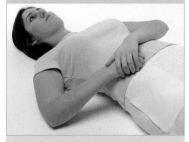

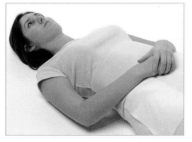

JAK CZĘSTO STOSOWAĆ
codziennie w razie zaparć przewlekłych; kilka razy dziennie w razie zaparć sporadycznych

PRZECIWWSKAZANIA
każda poważna rana brzucha, przebyta operacja brzuszna lub guz w obrębie jamy brzusznej

TEMATY POKREWNE
niestrawność s. 50

DODATKOWE WSKAZANIA
łagodzenie dolegliwości żołądkowych

1 Usiądź na krześle lub połóż się na podłodze. Zaciśnij prawą dłoń w pięść i połóż ją po prawej stronie brzucha. Lewą dłonią obejmij prawą pięść (po lewej).

2 Wykonaj wdech. Przy wydechu naciskaj dłońmi brzuch i przesuwaj je po nim, wykonując obszerny, okrężny ucisk zgodnie z ruchem wskazówek zegara. Wykonaj pełny okrąg przez czas jednego powolnego i pełnego wydechu. Powtórz ten krok 10 razy.

3 Następnie wyobraź sobie, że na Twoim brzuchu znajduje się wielki zegar. Opuszkami wszystkich palców masuj każdą „godzinę" na zegarze, wykonując mały, okrężny ucisk zgodnie z ruchem wskazówek zegara. Zacznij po prawej stronie (na godzinie 9, przy założeniu, że 12 znajduje się zaraz poniżej dolnego brzegu mostka), masując każdą „godzinę" przez 15 sekund. Wykonaj dwa pełne okręgi.

Szybka pomoc – akupresura

CEL
ustąpienie zaparć

JAK CZĘSTO STOSOWAĆ
kilka razy dziennie

PRZECIWWSKAZANIA
ciąża

TEMATY POKREWNE
zapalenie stawów s. 28,
ból zębów s. 82

DODATKOWE WSKAZANIA
biegunka, ból zębów i twarzy

Punkt *Jelito grube 4*, jeden z najsilniej działających i najbardziej znanych punktów akupresury, ma różnorodne zastosowanie. Jest łatwo dostępny, więc możesz go wykorzystać w każdej chwili.

1 Odszukaj punkt *Jelito grube 4* znajdujący się na grzbiecie dłoni, u podstawy kciuka i palca wskazującego. Najskuteczniej odnajdziesz ten punkt, przesuwając kciuk drugiej ręki do miejsca, gdzie spotykają się kości kciuka i palca wskazującego. Następnie naciśnij na kość palca wskazującego. Gdy znajdziesz ten punkt, prawdopodobnie poczujesz „prąd" lub podrażnienie nerwu. Uciśnij go i przytrzymaj przez minutę lub masuj małymi, okrężnymi ruchami, również przez minutę. Powtórz na drugiej dłoni.

2 Masuj od czubka palca wskazującego z powrotem w linii prostej do punktu *Jelito grube 4*. Tu znajduje się początek meridiana odpowiadającego za jelito grube. Masowanie tego kanału wzmaga przepływ energii we właściwym kierunku i łagodzi zaparcia. Powtórz na drugiej dłoni.

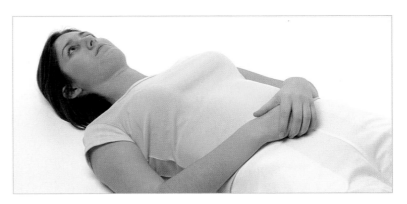

3 Teraz połóż pięści na nogach, na punkcie *Żołądek 36* znajdującym się zaraz poniżej rzepki, na zewnętrznej stronie goleni. Rozcieraj energicznie te miejsca pięściami przez minutę.

4 Następnie połóż dłoń złożoną w pięść pomiędzy spojeniem łonowym a pępkiem i delikatnie uciskaj brzuch. Wykorzystuj całą pięść, aby masować tzw. punkt *Aprobaty jelita grubego* (punkt *ta-ch'ang-shu*), powszechnie wykorzystywany w leczeniu zaparć.

Refleksologia

CEL
ustąpienie zaparć

JAK CZĘSTO STOSOWAĆ
dwa razy dziennie

PRZECIWWSKAZANIA
choroby zapalne okrężnicy,
zespół jelita drażliwego

DODATKOWE WSKAZANIA
biegunka

Refleks odpowiadający za okrężnicę rozpoczyna się na prawej podeszwie i sięga lewej stopy (patrz poniżej). Uwzględnienie tego rozmieszczenia pozwala wyznaczyć oraz poprawić kierunek przepływu energii dla jelita grubego. Zauważ, że w razie biegunki – aby odwrócić przepływ energii – należy wykonywać masaż w kierunku przeciwnym do wskazanego powyżej.

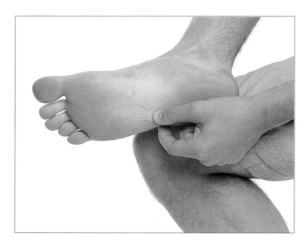

1 Lewym kciukiem masuj prawą podeszwą. Wykonuj pełzanie kciukiem na refleksie (patrz s. 21) w kierunku małego palca, jak pokazano na rysunku.

2 Następnie wykonuj pełzanie kciukiem na środku prawej podeszwy.

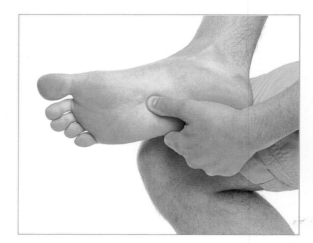

3 Następnie wykonuj pełzanie lewym kciukiem po zewnętrznym brzegu stopy.

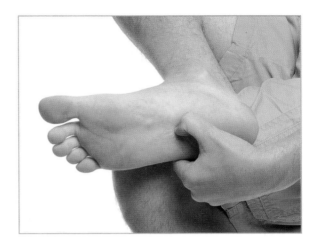

4 Zmień stopę. Prawym kciukiem masuj lewą podeszwę. Wykonuj pełzanie kciukiem na środku lewej podeszwy, od wewnętrznego do zewnętrznego brzegu łuku stopy.

5 Na zakończenie wykonuj pełzanie prawym kciukiem od pięty z powrotem do środka podeszwy. Powtórz całą sekwencję trzy razy.

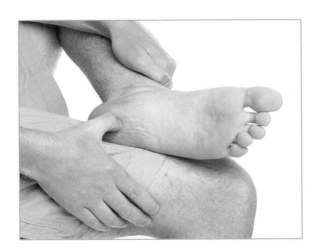

Zastrzyk energii

Jeśli nagle zaczniesz odczuwać zmęczenie, skontaktuj się z lekarzem, aby upewnić się, czy nie jest ono spowodowane jakąś poważną chorobą. Codzienny spadek energii wiele osób postrzega raczej jako denerwujący problem niż prawdziwe schorzenie. Zmęczenie może zakłócać pracę i ogólnie zmniejszać poczucie zadowolenia z życia. Może tu pomóc dobrze zrównoważona dieta (uwzględniająca wysokowartościowe białka) oraz regularne wykonywanie ćwiczeń fizycznych wzmacniających układ sercowo-naczyniowy. Po prostu wykonuj poniższe ćwiczenia, zanim poczujesz zmęczenie.

Akupresura

CEL
poprawa poziomu energetycznego nerek i nadnerczy

JAK CZĘSTO STOSOWAĆ
w razie zmęczenia

PRZECIWWSKAZANIA
nieznane

TEMATY POKREWNE
zapalenie stawów s. 28, niestrawność s. 50, bóle kolan s. 54

DODATKOWE WSKAZANIA
punkt *Pęcherz moczowy 23* – zawroty głowy, łatwe denerwowanie się, brak sił; punkt *Żołądek 36* – dobre samopoczucie, brak sił, bóle w podbrzuszu

Masaż punktu *Pęcherz moczowy 23*, znanego jako „Wrota Witalności", może dodać energii i poprawić koncentrację. Podobną poprawę poziomu energetycznego daje masaż punktu *Żołądek 36*.

1 Oprzyj ręce na biodrach i przesuwaj kciuki do siebie. Poczuj pasmo mięśni biegnących wzdłuż kręgosłupa po obu jego stronach. Następnie przesuń kciuki nieco w górę, do poziomu tuż poniżej żeber. To miejsce to „Wrota Witalności". Odchyl się do tyłu i masuj ten obszar małymi, okrężnymi ruchami przez minutę.

2 Następnie połóż zaciśnięte w pięści dłonie na punktach *Żołądek 36* znajdujących się tuż poniżej rzepki na zewnętrznych stronach goleni. Energicznie rozcieraj te miejsca w górę i w dół przez minutę.

Szybka pomoc – refleksologia

CEL
poprawa poziomu energetycznego
nerek i nadnerczy

JAK CZĘSTO STOSOWAĆ
zależnie od potrzeby

PRZECIWWSKAZANIA
nieznane

TEMATY POKREWNE
problemy z krążeniem s. 32

DODATKOWE WSKAZANIA
dolegliwości ze strony nerek

Zastosuj technikę rotacji w punkcie (patrz s. 21) na refleksie odpowiadającym za nadnercza, jak na rysunku niżej.

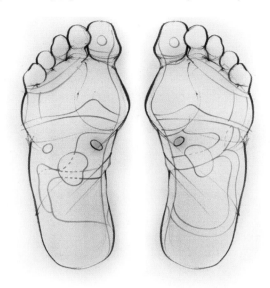

Szybka pomoc – automasaż

CEL
poprawa poziomu energetycznego

JAK CZĘSTO STOSOWAĆ
w razie zmęczenia

PRZECIWWSKAZANIA
nieznane

TEMATY POKREWNE
bóle krzyża s. 56

DODATKOWE WSKAZANIA
bóle krzyża

Jeśli objawy nie są nasilone, codzienny automasaż tego obszaru ciała może zmniejszyć stan zapalny oraz dolegliwości bólowe. Należy podkreślić znaczenie zakresu masażu (poruszanie palcami i dłonią w wielu różnych kierunkach) dla pokonania ograniczonej ruchomości w stawach.

1 Zaciśnij palce w pięści połóż je na okolicy krzyża, tuż poniżej żeber. Rozcieraj energicznie co najmniej przez minutę.

Zmęczone oczy

Zmęczenie oczu występuje szczególnie powszechnie u osób pracujących przy komputerze, a także u tych, którzy wykonują pracę w niewielkiej odległości od oczu, taką jak szycie czy robienie na drutach. Słabe oświetlenie, duża jasność monitora lub telewizora oraz niewystarczająca liczba przerw w pracy dodatkowo nasilają to zmęczenie. Jeśli w trakcie pracy odczuwasz zmęczenie oczu, rób przerwy co 15–30 minut, aby popatrzeć w dal i przez 20 sekund skupić wzrok na obiekcie odległym co najmniej o 6 metrów. Poniżej znajdują się pomocne techniki automasażu.

Akupresura

CEL
zmniejszenie zmęczenia oczu

JAK CZĘSTO STOSOWAĆ
kilka razy dziennie

PRZECIWWSKAZANIA
nieznane

TEMATY POKREWNE
praca przy komputerze s. 34,
nadużycie alkoholu s. 44,
jasność umysłu s. 62

DODATKOWE WSKAZANIA
punkt *Żołądek 2 i 3* – dolegliwości zatok, bóle twarzy i głowy, suche oczy; punkt *Wątroba 3* – bóle i zawroty głowy, nadużycie alkoholu, uczulenia, kurcze mięśni stóp

To ćwiczenie, dające więcej energii *chi* oczom, będzie uzupełnieniem przerw w pracy i patrzenia na odległy obiekt. Jeśli w swojej pracy intensywnie wykorzystujesz wzrok, wykonuj to ćwiczenie kilka razy w ciągu dnia.

1 Energicznie rozetrzyj dłonie, aż staną się ciepłe. Połóż je na zamkniętych oczach i zrób dwa głębokie oddechy. Powtórz ćwiczenie.

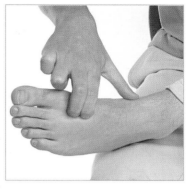

2 Palec wskazujący i palec środkowy obu rąk połóż odpowiednio na punkcie *Żołądek 2*, znajdującym się pośrodku policzka, i na punkcie *Żołądek 3*,

znajdującym się poniżej kości policzkowej. Oba punkty, będące na linii źrenic, masuj delikatnymi, okrężnymi ruchami przez 1–2 minuty.

3 Połóż lewą stopę na prawym udzie. Prawym palcem wskazującym i środkowym masuj przez 1–2 minuty punkt *Wątroba 3*, znajdujący się w miejscu połączenia kości palucha i drugiego palca stopy (patrz wyżej). Poczujesz „prąd" lub podrażnienie nerwu, gdy znajdziesz ten punkt. Powtórz na prawej stopie.

Refleksologia

CEL
zmniejszenie zmęczenia oczu

JAK CZĘSTO STOSOWAĆ
zależnie od potrzeby

PRZECIWWSKAZANIA
nieznane

DODATKOWE WSKAZANIA
bóle głowy związane ze zmęczeniem oczu

Ta prosta technika pomoże złagodzić zmęczenie oczu. Stosuj ją w trakcie przerw w pracy lub po pracy, kiedy odpoczywasz.

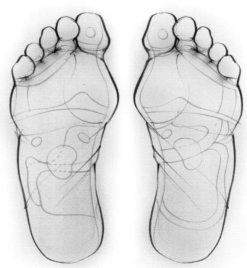

1 Znajdź na stopie refleks odpowiedzialny za oczy, jak pokazano na rysunku. Wykonuj rotację w punkcie i szczypanie (patrz s. 20–21) na tym refleksie przez 5 minut na każdej stopie.

Nadużycie alkoholu

Automasaż może złagodzić objawy wywołane jednorazowym nadużyciem alkoholu, takie jak ból głowy, nudności, osłabienie koncentracji. Działanie moczopędne alkoholu powoduje odwodnienie i utratę potasu. Spożycie bananów może wyrównać straty potasu i znormalizować poziom glukozy we krwi, a ze względu na ich działanie zobojętniające kwasy, może również zapobiec nudnościom. Oczywiście wypicie dużej ilości wody następnego poranka pomoże wyrównać odwodnienie spowodowane nadużyciem alkoholu. Oto kilka technik masażu.

Indyjski masaż głowy

CEL
złagodzenie bólu głowy

JAK CZĘSTO STOSOWAĆ
kilka razy, rano po imprezie

PRZECIWWSKAZANIA
nieznane

TEMATY POKREWNE
zmęczone oczy s. 42,
bóle głowy s. 46

DODATKOWE WSKAZANIA
pobudzenie krążenia krwi, eliminacja substancji toksycznych

Możesz spróbować tego automasażu, przykładając jednocześnie zimny kompres na czoło.

1 Połóż się na podłodze, w łóżku lub na rozkładanym fotelu. Wykonując opuszkami palców pocierające, okrężne ruchy, masuj mięśnie bezpośrednio u podstawy czaszki. Zacznij, trzymając dłonie jedna blisko drugiej, tuż po bokach kręgosłupa, i masuj po obu stronach w kierunku uszu. Kontynuuj przez 1–3 minuty.

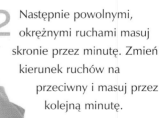

2 Następnie powolnymi, okrężnymi ruchami masuj skronie przez minutę. Zmień kierunek ruchów na przeciwny i masuj przez kolejną minutę.

Szybka pomoc – hydroterapia

CEL
złagodzenie bólu głowy

JAK CZĘSTO STOSOWAĆ
kilka razy, rano po imprezie

PRZECIWWSKAZANIA
nieznane

TEMATY POKREWNE
bóle głowy s. 46

DODATKOWE WSKAZANIA
bóle głowy z przejedzenia lub
spożycia nieświeżej żywności

Zimny kompres na czoło jest doskonałym lekarstwem na nadużycie alkoholu. Zimno obkurcza naczynia krwionośne i pomaga złagodzić pulsujący ból głowy.

Wykorzystaj pojemnik z lodem zawinięty w ręcznik. Jeśli nie masz takiego pojemnika, umieść kilka kostek lodu w plastikowej torebce i zawiń ją w ręcznik. Stosuj kompres przez 10 minut. W razie potrzeby zrób przerwę i przygotuj następny.

Szybka pomoc – akupresura

CEL
złagodzenie bólu głowy i mdłości

JAK CZĘSTO STOSOWAĆ
pobudzanie każdego punktu
przez 3–5 minut

PRZECIWWSKAZANIA
nieznane

DODATKOWE WSKAZANIA
punkt *Wątroba 3* – eliminacja
substancji toksycznych, złagodzenie bólu oczu, rozjaśnienie
umysłu; punkt *Osierdzie 6* –
bezsenność, niestrawność

Punkt *Wątroba 3* doskonale nadaje się do odtruwania organizmu, a wpływ punktu *Osierdzie 6* na łagodzenie mdłości jest dobrze znany. Wspólne pobudzanie tych dwóch punktów może pomóc w szybkim powrocie do zdrowia.

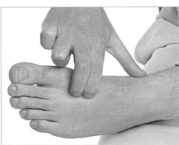

1 Przez minutę uciskaj punkt *Wątroba 3*, znajdujący się na górze stopy, w miejscu połączenia się kości palucha i drugiego palca. Możesz również masować ten punkt małymi, okrężnymi ruchami.

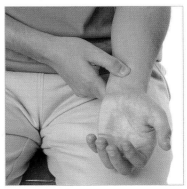

2 Przez minutę uciskaj lub masuj małymi, okrężnymi ruchami punkt *Osierdzie 6*, znajdujący się pomiędzy ścięgnami po wewnętrznej stronie lewego przedramienia, w odległości 2,5 palca powyżej nadgarstka. Powtórz na drugiej ręce.

Bóle głowy

Jeśli bóle głowy dokuczają Ci sporadycznie, kilka prostych technik automasażu może przynieść ulgę. Jeśli jednak występują często lub cierpisz z powodu nawracającej migreny, koniecznie skonsultuj się z lekarzem, aby ustalić odpowiednie leczenie. Oto niektóre techniki masażu, które możesz wypróbować przy niewielkich bólach głowy.

Automasaż w napięciowych bólach głowy

CEL
złagodzenie napięciowego bólu głowy

JAK CZĘSTO STOSOWAĆ
jeżeli po pierwszym masażu ból głowy nie ustępuje lub nawraca, powtórz masaż za godzinę

PRZECIWWSKAZANIA
nieznane

TEMATY POKREWNE
napięcie karku i barków s. 66

DODATKOWE WSKAZANIA
sztywność karku i barków

Napięciowe bóle głowy często są wywołane przez sztywność mięśni karku i barków – odczuwane są wtedy jako ściskanie lub zgniatanie. Pocieszające jest, że napięciowe bóle głowy nadzwyczaj dobrze ustępują po automasażu.

1 Połóż się na podłodze lub usiądź na krześle i załóż ręce na kark. Ugniataj i przesuwaj opuszki palców względem siebie. Powtarzaj to ćwiczenie, rozpoczynając tuż poniżej czaszki i przesuwając dłonie w dół w stronę barków. Kontynuuj przez minutę.

2 Opuszkami palców masuj mięśnie karku po obu stronach kręgosłupa, wykonując małe, okrężne ruchy od podstawy czaszki w dół, w stronę barków. Masuj przez 1–2 minuty.

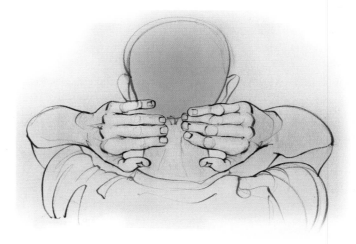

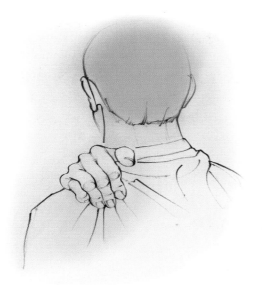

3 Połóż prawą dłoń na grubym paśmie mięśniowym pomiędzy karkiem a lewym barkiem. Pomóż sobie, podtrzymując prawy łokieć lewą dłonią. Ściskaj i masuj ten obszar co najmniej przez minutę. Zmień strony i powtórz.

Refleksologia

CEL
złagodzenie napięciowego bólu głowy

JAK CZĘSTO STOSOWAĆ
w razie potrzeby powtarzaj co 1–2 godziny

TEMATY POKREWNE
ból zębów s. 82

PRZECIWWSKAZANIA
nieznane

DODATKOWE WSKAZANIA
ból zębów i gardła, przeziębienie

Aby złagodzić ból głowy, w poniższym ćwiczeniu wykorzystuje się refleksy związane z kręgosłupem i mózgiem.

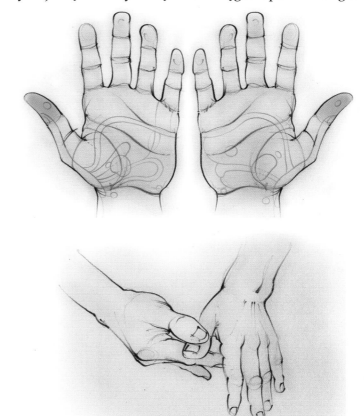

1 Prawym kciukiem i prawym palcem wskazującym uszczypnij koniec lewego kciuka (patrz rys. po prawej). Uciskaj mocno i przytrzymuj ucisk przez 5 sekund. Powtórz 10 razy. Wykonaj całą sekwencję na drugiej dłoni.

47

Akupresura przy bólach głowy związanych z zatokami

CEL
złagodzenie bólu głowy związane-go z zatokami

JAK CZĘSTO STOSOWAĆ
zależnie od potrzeby

PRZECIWWSKAZANIA
nieznane

TEMATY POKREWNE
zmęczone oczy s. 42,
ból zębów s. 82

DODATKOWE WSKAZANIA
niewyraźne widzenie, zmęczenie oczu, uczulenia, zatkany nos, obrzęk twarzy, ból zębów

Ten rodzaj bólu głowy, objawiający się w okolicy czoła, policzków i wokół oczu, często bardzo dobrze reaguje na zastosowaną akupresurę. Będziesz mile zaskoczony, czując, jak szybko ustępuje uczucie rozpierania w zatokach. Jeżeli powróci ono po pewnym czasie, po prostu powtórz poniższe ćwiczenie. Jeśli jednak dolegliwości zatokowe mają charakter przewlekły, skonsultuj się z lekarzem.

1 Palcami wskazującymi znajdź punkt *Żołądek 3* po obu stronach twarzy poniżej oczu, pod kośćmi policzkowymi. Delikatnie masuj te obszary okrężnymi ruchami przez minutę.

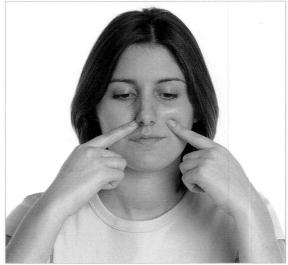

2 Ustal, który z punktów jest bardziej bolesny i masuj go nadal. Palec przeciwnej dłoni przesuń nad punkt *Jelito grube 20*, znajdujący się z boku przeciwnego nozdrza. Masuj oba punkty małymi, okrężnymi ruchami przez minutę.

3 Przesuń palec znad punktu *Jelito grube 20* do punktu *Pęcherz moczowy 2*, znajdującego się przy wewnętrznym rogu oka. Następnie przesuń palec znajdujący się do tej pory w punkcie *Żołądek 3* do punktu *Jelito grube 20* po tej samej stronie. Masuj ten punkt małymi, okrężnymi ruchami przez minutę.

4 Na zakończenie przytrzymuj palce wskazujące przez kolejną minutę w punkcie *Pęcherz moczowy 2* po obu stronach. Odpocznij i weź kilka głębokich oddechów.

Akupresura przy bólach głowy związanych z układem pokarmowym

CEL
złagodzenie bólów głowy spowodowanych zaburzeniami układu pokarmowego

JAK CZĘSTO STOSOWAĆ
kilka razy dziennie

PRZECIWWSKAZANIA
ciąża

TEMATY POKREWNE
zapalenie stawów s. 28, zaparcia s. 36, sztywność stawów s. 52, bóle zębów s. 82

DODATKOWE WSKAZANIA
biegunka, zaparcia, wysypki, bóle zębów i twarzy

Niektóre bóle głowy mogą być spowodowane zaburzeniami układu pokarmowego, takimi jak przejedzenie lub zaparcia. Pobudzanie jednego z najbardziej znanych punktów akupresury, punktu *Jelito grube 4*, może pomóc w pozbyciu się z ciała substancji toksycznych wywołujących ból głowy. To ćwiczenie możesz stosować kilka razy dziennie.

1 Połóż prawy kciuk na punkcie *Jelito grube 4* na lewej dłoni. Przesuń prawy kciuk w stronę połączenia kości palców i uciskaj w stronę palca wskazującego, dopóki nie poczujesz podrażnienia nerwu. Masuj ten punkt małymi, okrężnymi ruchami przez 1–2 minuty.

Niestrawność

Niestrawność to ogólny termin, którym można opisać dolegliwości dotyczące żołądka i innych narządów przewodu pokarmowego. Uwzględnimy tu także zgagę, odbijanie się, nadmierną produkcję gazów, wzdęcia i uczucie pełności. Wymienionym odczuciom mogą towarzyszyć zaparcia lub biegunka, mdłości, wymioty i/lub zmęczenie oraz ogólne uczucie osłabienia. Niestrawność może być spowodowana niewłaściwymi nawykami żywieniowymi, takimi jak szybkie jedzenie dużych ilości oraz nadmiernie tłustych potraw. Stres i lęk, palenie tytoniu i picie alkoholu mogą zaostrzać (bądź powodować) objawy niestrawności. Sytuację mogą też pogorszyć uczulenia, nietolerancja laktozy oraz brak ćwiczeń.

Refleksologia

CEL
złagodzenie zgagi

JAK CZĘSTO STOSOWAĆ
co godzinę, dopóki objawy nie ustąpią lub raz dziennie w celach profilaktycznych

PRZECIWWSKAZANIA
nieznane

TEMATY POKREWNE
zaparcia s. 36

DODATKOWE WSKAZANIA
biegunka, zaparcia, wzdęcia

Ważne jest rozpoznanie rodzaju niestrawności, aby odpowiednio mu przeciwdziałać. Przewlekła niestrawność może prowadzić do poważniejszych schorzeń, jak choroba wrzodowa, zapalenie przełyku czy kamica żółciowa. W razie przewlekle występujących dolegliwości skonsultuj się z lekarzem. Poniżej znajduje się kilka sposobów radzenia sobie z niestrawnością pojawiającą się sporadycznie.

Kiedy dolny zwieracz przełyku kurczy się nieprawidłowo lub jest osłabiony, sok żołądkowy może z łatwością wlewać się do przełyku i powodować zgagę. Masowanie poniższego refleksu pomaga zmniejszyć nasilenie się zgagi.

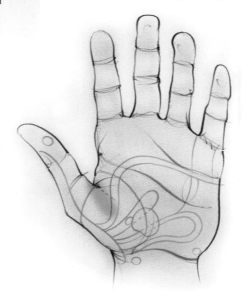

1 Zastosuj szczypanie i rotację w punkcie (patrz s. 20–21) na refleksie lewej dłoni, jak pokazano na rysunku. Kontynuuj przez 2–3 minuty.

Akupresura

CEL
złagodzenie niestrawności

JAK CZĘSTO STOSOWAĆ
w razie wystąpienia objawów lub
profilaktycznie dwa razy dziennie

PRZECIWWSKAZANIA
nieznane

DODATKOWE WSKAZANIA
dyskomfort lub ból brzucha,
biegunka, wymioty

Ten masaż pomaga złagodzić objawy niestrawności oraz
wzmocnić układ pokarmowy.

1 Oprzyj się delikatnie na krześle. Połóż oba kciuki
na punkcie *Główny regulator przedni 12* (punkt
chung-kuan) w połowie odległości pomiędzy dolnym
brzegiem mostka a pępkiem. Uciskaj nieco w górę.
Masuj delikatnie okrężnymi ruchami przez 2 minuty.

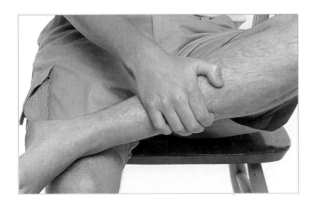

2 Następnie połóż lewy staw skokowy na prawym
udzie. Opuszkami palców prawej dłoni masuj
zewnętrzną powierzchnię goleni od kolana w stronę
stopy. Kontynuuj przez 2 minuty.

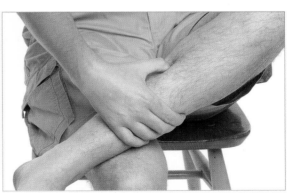

3 Punkt pośrodku goleni masuj kciukiem w kierunku
kolana przez 2 minuty. Powtórz na prawej nodze.

Sztywność stawów

Sztywność stawów stóp i rąk może być spowodowana przebytymi urazami, grypą, ekspozycją na zimno, procesem zapalnym, nadmiernym obciążeniem oraz niewłaściwą dietą. Według medycyny chińskiej stawy to ważne miejsca ciała, gdzie gromadzi się energia *chi*. Wiele istotnych punktów akupresury znajduje się właśnie na stawach nadgarstkowych i skokowych. Delikatne rozciąganie i masaż dobrze służy bolącym stawom, o ile nie stwierdza się ostrego stanu zapalnego. Codzienny masaż nadgarstków i stawów skokowych wzmaga przepływ *chi* przez całe ciało. Oto kilka technik automasażu do wypróbowania.

Automasaż

CEL
złagodzenie bólu nadwerężonych stawów ręki

JAK CZĘSTO STOSOWAĆ
pięciominutowy masaż raz lub dwa razy dziennie

PRZECIWWSKAZANIA
aktywny stan zapalny stawu

TEMATY POKREWNE
zapalenie stawów s. 28, praca przy komputerze s. 34

DODATKOWE WSKAZANIA
zespół cieśni nadgarstka

Zastosowanie jednej z dostępnych bez recepty maści na bazie kamfory, np. balsamu tygrysiego, zwiększy kojące działanie masażu. Przedstawiony masaż dotyczy nadgarstka, ale można go zastosować do masażu stawów skokowych.

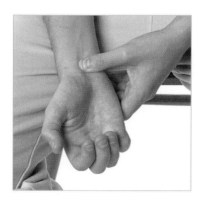

1 Jeśli używasz maści, zacznij od roztarcia dużej ilości po obu stronach nadgarstka. Jeśli nie, zacznij od razu od punktu 2.

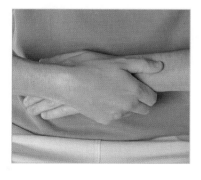

2 Ostrożnie masuj cały staw nadgarstkowy. Zacznij po wewnętrznej stronie, wykonując kciukiem małe, okrężne ruchy wzdłuż zgięcia nadgarstka. Następnie małymi, okrężnymi ruchami masuj wokół zgięcia nadgarstka. Kontynuuj co najmniej przez minutę.

3 Odwróć dłoń. Palcami drugiej ręki podtrzymuj od strony małego palca masowaną dłoń. Kontynuuj masaż po drugiej stronie nadgarstka, wykonując kciukiem małe, okrężne ruchy. Kontynuuj co najmniej przez minutę.

4 Ponownie odwróć dłoń
i mocno chwyć nadgarstek
palcami drugiej ręki. Ściskaj go
delikatnie kilka razy. To ćwiczenie
zwiększa przestrzeń w obrębie
cieśni nadgarstka. Na zakończenie
wykonaj masaż dłoni (patrz s. 28).
Powtórz kroki od 1. do 5. na drugiej
ręce.

Terapia punktów spustowych

CEL
złagodzenie bólu nadwerężonych
stóp i stawów skokowych

JAK CZĘSTO STOSOWAĆ
kilka razy dziennie, dopóki ból się
nie zmniejszy

PRZECIWWSKAZANIA
ograniczona ruchomość
w stawach biodrowych

TEMATY POKREWNE
zmęczone stopy s. 80

Rozluźnienie tego punktu spustowego na goleni może pomóc bolącym stopom i stawom skokowym.

1 Usiądź na krześle lub
na podłodze. Pierwszym
etapem tego masażu jest
odnalezienie punktu spustowego.
Znajduje się on na zewnętrznej
stronie goleni, mniej więcej
w 1/3 długości pomiędzy kolanem
a stawem skokowym. Znalezienie
tego punktu może nie być łatwe ze
względu na grubą warstwę mięśni

w tej okolicy. Zegnij grzbietowo
palce stopy, a poczujesz
napinający się mięsień
po zewnętrznej stronie goleni.
Trzymając palce dłoni na tym
mięśniu, rozluźnij go, opuszczając
palce stopy. Następnie przesuwaj
palce dłoni w dół goleni do 1/3 jej
długości, wyczuwając napięte
i bolesne miejsca.

2 Teraz połóż przeciwną piętę
na tym miejscu i mocno
pocieraj. Kontynuuj przez
1–2 minuty. Powtórz na drugiej
nodze. Na zakończenie wykonaj
łagodzący masaż stóp
(patrz s. 14).

Bóle kolan

Bóle kolan mogą być spowodowane zapaleniem stawów, ścięgien, kaletek maziowych, uszkodzeniem więzadeł lub ciasnym przebiegiem mięśnia czworogłowego. Aby zastosować właściwe leczenie, ważne jest zrozumienie charakteru przewlekłego bólu kolana. Jeśli ból kolana występuje sporadycznie, niektóre z poniższych technik automasażu mogą być bardzo pomocne. Jeśli ból jest przewlekły, zastosowanie jednej lub kilku z tych technik będzie wspaniałym uzupełnieniem dotychczasowego leczenia.

Terapia punktów spustowych

CEL
ustąpienie bólu kolana, zwłaszcza towarzyszącego ciasnemu przebiegowi mięśni uda

JAK CZĘSTO STOSOWAĆ
codziennie

PRZECIWWSKAZANIA
nieznane

DODATKOWE WSKAZANIA
sztywność stawów biodrowych

Ból kolana jest często skutkiem zgrubień w mięśniu czworogłowym, spowodowanych nadmiernym treningiem lub przeciążeniem. Jeśli ból występuje poniżej rzepki, spróbuj ćwiczenia 1. Jeśli ból występuje nieco powyżej stawu kolanowego, możesz spróbować pobudzać punkt spustowy, jak w ćwiczeniu 2.

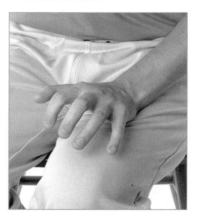

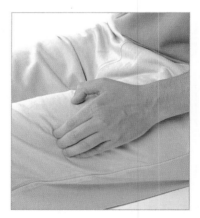

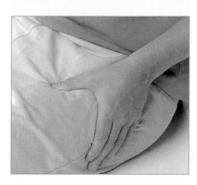

1 Połóż kciuk na udzie, tuż poniżej pachwiny, i przesuwaj, aż znajdziesz napięty lub „węzłowaty" obszar. Masuj go obydwoma kciukami, wykonując małe, okrężne ruchy, lub wykorzystując zewnętrzną powierzchnię nadgarstka. Kontynuuj przez 3–5 minut.

2 Połóż kciuk pośrodku uda, w połowie odległości pomiędzy pachwiną a kolanem. Przesuwaj kciuk do momentu, aż znajdziesz napięty lub „węzłowaty" obszar. Powinien być wrażliwy lub nawet bolesny. Masuj to miejsce kciukami przez 3–5 minut, wykonując małe, okrężne ruchy lub wykorzystując dolną krawędź dłoni.

3 Następnie zobacz, czy zewnętrzna powierzchnia uda jest również napięta. Jeśli tak, przez kilka minut masuj ją opuszkami palców obu dłoni, od góry w stronę stawu kolanowego.

Akupresura

CEL
ustąpienie bólu kolana
(szczególnie na tle choroby
zwyrodnieniowej stawu)

JAK CZĘSTO STOSOWAĆ
dwa do trzech razy dziennie

PRZECIWWSKAZANIA
w razie przebytej niedawno opera-
cji kolana skonsultuj się z lekarzem

TEMATY POKREWNE
zapalenie stawów s. 28, zaparcia
s. 36, zastrzyk energii s. 40

DODATKOWE WSKAZANIA
zaparcia, dolegliwości żołądkowe,
zmęczenie

Przekonasz się, że ten masaż stosowany codziennie okaże szczególnie skuteczny.

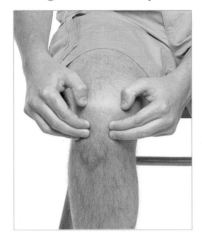
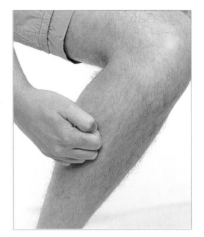

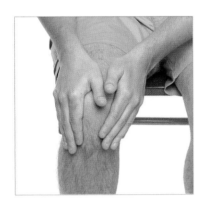

1 Rozpocznij energicznie, rozcierając kolano opuszkami palców. Masuj mięśnie wokół kolana (zdjęcie po lewej). Kontynuuj przez 2 minuty.

2 Znajdź punkt *xiyan* (to dodatkowy punkt akupresury niemający numeru) tuż poniżej rzepki, po obu stronach ścięgna.

Palcami wskazującym i środkowym obu dłoni masuj to miejsce przez minutę.

3 Następnie palcami złożonymi w pięść rozcieraj przez minutę punkt *Żołądek 36*, znajdujący się na zewnętrznej stronie goleni, w odległości czterech palców poniżej rzepki.

Szybka pomoc – refleksologia

CEL
ustąpienie bólu kolana

JAK CZĘSTO STOSOWAĆ
raz dziennie lub częściej

PRZECIWWSKAZANIA
nieznane

DODATKOWE WSKAZANIA
bóle bioder i nóg

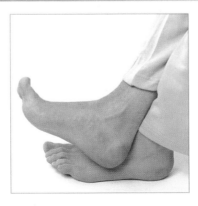

1 Zdejmij buty. Prawą piętą uciskaj zewnętrzną powierzchnię lewej stopy, jak pokazano na zdjęciu obok. Kontynuuj przez 2 minuty. Powtórz na drugiej stopie.

2 Możesz także położyć lewą stopę na prawym udzie i palcami dłoni masować grzbiet lewej stopy.

Bóle krzyża

W różnym czasie około 90 procent populacji doświadcza bólów krzyża. Bóle krzyża mogą być spowodowane różnymi sytuacjami, takimi jak niewłaściwa postawa ciała, wypadający krążek międzykręgowy (dysk), napięcie mięśni lub więzadeł, zapalenie stawów miednicy, przewlekłe zaparcia lub napięcie przedmiesiączkowe. Ból krzyża czasami łączy się z rwą kulszową, czyli bólem promieniującym wzdłuż nogi w dół. Ból pleców często dobrze reaguje na zastosowanie profesjonalnego masażu lub zabiegi fizykalne. Przedstawione poniżej techniki automasażu mogą być uzupełnieniem fachowego leczenia.

Automasaż

CEL
ustąpienie bólu krzyża

JAK CZĘSTO STOSOWAĆ
kilka razy dziennie

PRZECIWWSKAZANIA
nieznane

TEMATY POKREWNE
zastrzyk energii s. 40,
automasaż *do-in* s. 86

DODATKOWE WSKAZANIA
rwa kulszowa, porażenie kończyn dolnych

Ten prosty masaż możesz wykonywać w pracy lub w domu, siedząc na twardym krześle.

1 Zaciśnij dłonie w pięści i pochyl się nieco do przodu. Połóż pięści po obu stronach kręgosłupa i rozcieraj energicznie w górę i w dół oraz na boki. Kontynuuj przez minutę.

2 Następnie połóż dłonie na biodrach, kierując kciuki do siebie i uciskaj twarde mięśnie dolnej części grzbietu oraz kość krzyżową. Odchyl się do tyłu. Przesuń kciuki w nowe miejsce i ponownie odchyl się do tyłu. Masuj je okrężnymi ruchami przez kilka sekund, zanim przesuniesz kciuki w kolejne miejsce. Kontynuuj powyższe uciskanie przez 1–2 minuty.

3 Teraz spleć dłonie za plecami, wyprostuj kciuki i naciskaj jednym na drugi. Poklepuj okolicę krzyżową dłońmi ze skierowanymi ku niej kciukami. Kontynuuj przez minutę.

Ból krzyża może być także skutkiem bardzo ciasnego przebiegu ścięgien mięśni podkolanowych. Wiele osób utrzymuje w napięciu te ścięgna w podobny sposób jak mięśnie karku i barków. Rozciąganie i masowanie ścięgien podkolanowych może być bardzo korzystne dla okolicy krzyżowej.

1 Oklepuj mocno biodra grzbietową powierzchnią dłoni. Możesz użyć siły. Oklepuj przez minutę.

2 Następnie ugniataj dłońmi tylną powierzchnię uda. Kontynuuj przez minutę. Powtórz krok 1. i 2. na drugiej nodze.

3 Gdy skończysz masować tylne powierzchnie nóg, wyciągnij je przed sobą. Połóż dłonie na goleniach lub w okolicy stawów skokowych i delikatnie pochyl się do przodu. Jeśli czujesz rozciąganie w plecach, spróbuj zgiąć stopy do siebie. Powinieneś poczuć rozciąganie głównie na tylnej powierzchni nóg.

Akupresura

CEL
ustąpienie bólu krzyża

JAK CZĘSTO STOSOWAĆ
kilka razy dziennie

PRZECIWWSKAZANIA
nieznane

TEMATY POKREWNE
dolegliwości menstruacyjne s. 60

DODATKOWE WSKAZANIA
rwa kulszowa, porażenie kończyn dolnych

Kilka punktów akupresury, najwłaściwszych w terapii bólów krzyża, znajduje się na nogach i w okolicach stawów skokowych. Są one łatwo dostępne i pomogą usunąć mniej nasilone objawy.

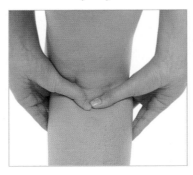

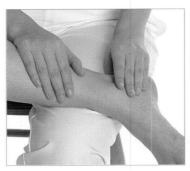

1 Odszukaj na prawej nodze punkt *Pęcherz moczowy 40*, znajdujący się pośrodku dołu podkolanowego (patrz zdjęcie). Może być on bardzo napięty. Kciukami masuj delikatnie ten punkt przez 1–2 minuty.

2 Następnie połóż prawą nogę na lewym biodrze i odszukaj punkt *Pęcherz moczowy 60*, znajdujący się pomiędzy ścięgnem Achillesa a zewnętrzną kostką. Masuj kciukami przez 1–2 minuty. Powtórz na lewej nodze.

Refleksologia

CEL
ustąpienie bólu krzyża

JAK CZĘSTO STOSOWAĆ
kilka razy dziennie

PRZECIWWSKAZANIA
nieznane

TEMATY POKREWNE
dolegliwości menstruacyjne s. 60

DODATKOWE WSKAZANIA
rwa kulszowa, porażenie kończyn dolnych

Na wewnętrznym brzegu stopy znajduje się wiele refleksów związanych z kręgosłupem. Masowanie tego obszaru korzystnie wpływa na okolicę krzyżową. W razie nadmiernej sztywności w stawach biodrowych lub krzyżu, uniemożliwiającej wykonanie masażu stóp, wykorzystaj refleksy na dłoniach, jak pokazano na stronie 59.

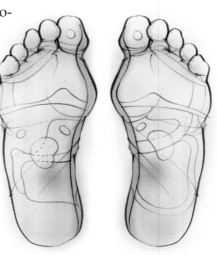

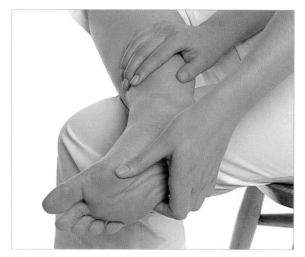

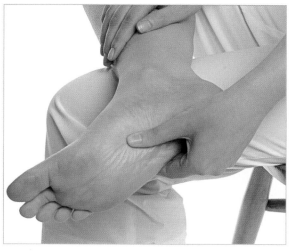

1 Uchwyć dłońmi wewnętrzną powierzchnię prawej
stopy. Ściskaj ją i skręcaj, jak przy wyżymaniu.
Następnie wykonuj pełzanie kciukiem (patrz s. 21)
po wewnętrznej krawędzi łuku stopy, od pięty w stronę
palucha. Kontynuuj przez 1–2 minuty.

2 Następnie wykonuj pełzanie lewym kciukiem
po zewnętrznej części łuku stopy. Kontynuuj przez
1–2 minuty. Powtórz na lewej stopie.

Szybka pomoc – refleksologia

CEL
ustąpienie bólu krzyża

JAK CZĘSTO STOSOWAĆ
kilka razy dziennie

PRZECIWWSKAZANIA
nieznane

DODATKOWE WSKAZANIA
rwa kulszowa

Jeśli z powodu nadmiernej sztywności stawów biodrowych lub krzyża, uniemożliwiającej położenie stopy
na przeciwległym udzie, nie możesz wykonać masażu
stóp, wykorzystaj refleksy znajdujące się na dłoniach, jak
pokazano poniżej.

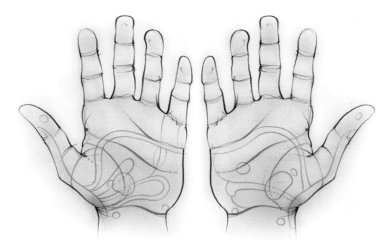

1 Wykonuj pełzanie kciukiem
(patrz s. 21) na refleksie, jak
pokazano na rysunku. Kontynuuj
przez 2 minuty. Powtarzaj kilka
razy dziennie.

Dolegliwości menstruacyjne

Dolegliwości przed, w trakcie oraz po wystąpieniu menstruacji mogą być spowodowane wieloma czynnikami, w tym napięciem mięśni okolicy krzyża i/lub miednicy, zaburzeniem równowagi hormonalnej, brakiem dostatecznej ilości ćwiczeń fizycznych, niedokrwistością oraz zaparciami. Konsultacja z lekarzem jest ważna w celu ustalenia przyczyn będących podstawą określonych objawów związanych z menstruacją oraz odpowiedniego leczenia. Oto kilka prostych i pomocnych technik automasażu.

Automasaż

CEL
ustąpienie bólu krzyża i napięcia miednicy, będących przyczyną dolegliwości menstruacyjnych

JAK CZĘSTO STOSOWAĆ
raz lub dwa razy dziennie

PRZECIWWSKAZANIA
nieznane

TEMATY POKREWNE
bóle krzyża s. 56

DODATKOWE WSKAZANIA
bóle krzyża, rwa kulszowa

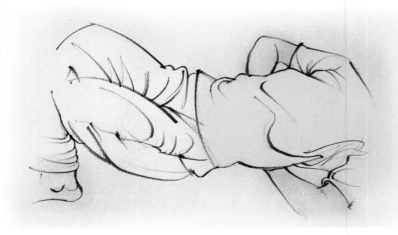

1 Połóż się na plecach na dywanie lub wykładzinie. Zegnij nogi w kolanach, a stopy postaw płasko na podłodze. Unieś biodra i wsuń ściśnięte w pięści dłonie pod okolicę krzyżową, kładąc je po obu stronach kręgosłupa, zwrócone do siebie. Delikatnie kołysz biodrami na boki, tak aby masować mięśnie grzbietu. (Do tego ćwiczenia możesz także użyć piłek tenisowych. Włóż dwie do woreczka, zawiąż go i ułóż pod plecami. Kołysz biodrami na boki.

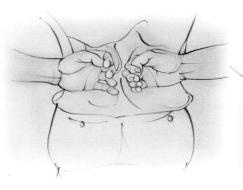

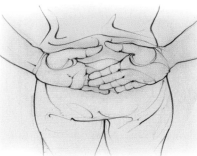

2 Następnie unieś biodra i wyprostuj palce dłoni na podłodze. Przesuń dłonie w dół, pod kość krzyżową. Opuść biodra na dłonie. Kontynuuj masaż okolicy krzyżowej, wykonując kołysanie na boki i ruchy okrężne.

Akupresura

CEL
ustąpienie dolegliwości

JAK CZĘSTO STOSOWAĆ
dwa do trzech razy dziennie,
rozpoczynając w tygodniu
poprzedzającym krwawienie

PRZECIWWSKAZANIA
nie wykonuj akupresury tego
punktu w ostatnich dwóch
miesiącach ciąży

TEMATY POKREWNE
bóle krzyża s. 56

DODATKOWE WSKAZANIA
zatrzymanie płynów, ból
w okolicy narządów płciowych,
dolegliwości żołądkowe

Korzystne działanie tego punktu akupresury na wszystkie rodzaje dolegliwości menstruacyjnych jest dobrze znane. Wykorzystuj go kilka razy dziennie w tygodniu przed miesiączką oraz podczas kilku pierwszych dni krwawienia.

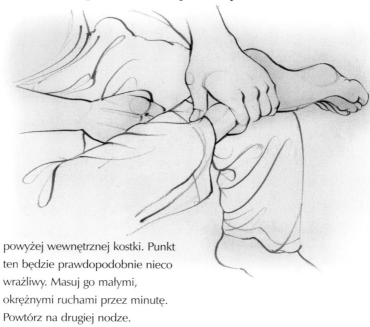

1 Połóż prawą stopę na lewym udzie i odszukaj punkt *Śledziona 6*, znajdujący się na wewnętrznej stronie goleni, w odległości czterech palców powyżej wewnętrznej kostki. Punkt ten będzie prawdopodobnie nieco wrażliwy. Masuj go małymi, okrężnymi ruchami przez minutę. Powtórz na drugiej nodze.

Szybka pomoc – refleksologia

CEL
ustąpienie dolegliwości

JAK CZĘSTO STOSOWAĆ
kilka razy dziennie

PRZECIWWSKAZANIA
nieznane

DODATKOWE WSKAZANIA
zaburzenia funkcji przysadki

Tę prostą technikę możesz wykorzystać zawsze i wszędzie.

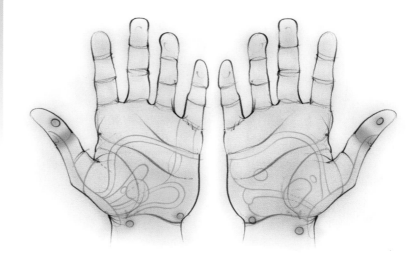

1 Wykonuj szczypanie (patrz s. 21) stawu międzypaliczkowego każdego kciuka, jak pokazano na rysunku. Pobudzaj w miejscu zgięcia stawu przez minutę.

Jasność umysłu

Kiedy kark jest sztywny i napięty, przepływ krwi do mózgu jest zmniejszony, co powoduje zmęczenie umysłu. Niestety, wielu z nas, wykonując pracę umysłową wymagającą koncentracji, przyjmuje niewłaściwą pozycję ciała. Garbienie się przy siedzeniu lub siedzenie bez właściwego oparcia okolicy krzyżowej podczas wielogodzinnej pracy przy komputerze może przyczyniać się do napięcia karku, barków i potylicy. Masaż barków i poprawa niewłaściwej pozycji ciała mogą zapobiec zmęczeniu i zamgleniu umysłu. Wypróbuj poniższe techniki.

Automasaż

CEL
poprawa jasności umysłu

JAK CZĘSTO STOSOWAĆ
przynajmniej dwa razy dziennie

PRZECIWWSKAZANIA
w razie poważnych urazów kręgosłupa szyjnego, np. po wypadku samochodowym, najpierw skonsultuj się z lekarzem

TEMATY POKREWNE
bóle głowy s. 46,
napięcie karku i barków s. 66

DODATKOWE WSKAZANIA
sztywność karku i barków, napięciowe bóle głowy

AROMATERAPIA
przed rozpoczęciem masażu zmieszaj i rozetrzyj na dłoniach kilka kropel olejku grejpfrutowego, miętowego lub różanego z olejem do masażu. Poprawiające jasność umysłu właściwości tych olejków są dobrze znane

To proste ćwiczenie zajmuje tylko 5 minut, a zapewnia wielką ulgę.

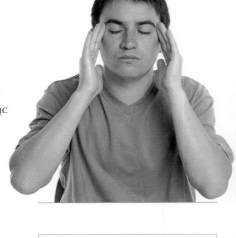

1 Połóż się na podłodze lub usiądź na krześle. Opuszkami palców masuj skronie, wykonując powoli małe, okrężne ruchy. Kontynuuj przez minutę. Zmień kierunek ruchów okrężnych i masuj przez kolejną minutę.

2 Następnie spleć dłonie na karku. Ściskaj i przesuwaj palce względem siebie. Powtórz ten element, zaczynając zaraz poniżej czaszki i przesuwając się w dół, w stronę barków. Kontynuuj przez minutę.

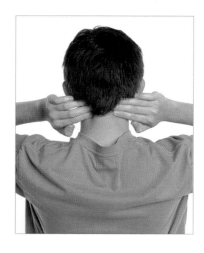

3 Teraz opuszkami palców masuj mięśnie karku po obu stronach kręgosłupa, pocierając okrężnymi ruchami, od podstawy czaszki w dół, w stronę barków. Masuj przez 1–2 minuty.

4 Połóż prawą dłoń na lewym barku. Lewą ręką podtrzymuj prawy łokieć. Ugniataj i pocieraj bark okrężnymi ruchami przez 2 minuty. Zwróć szczególną uwagę na wyczuwalne zgrubienia.

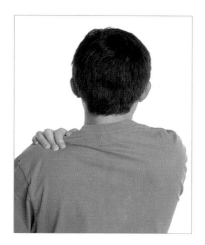

Szybka pomoc – akupresura

CEL
poprawa jasności umysłu

JAK CZĘSTO STOSOWAĆ
kilka razy dziennie

PRZECIWWSKAZANIA
nieznane

TEMATY POKREWNE
zmęczone oczy s. 42,
bóle głowy s. 46

DODATKOWE WSKAZANIA
napięciowe bóle głowy, upośle-
dzona pamięć, ból ograniczający
zdolność koncentracji, zawroty
głowy, przeziębienie, zatkane
zatoki, opuchnięte oczy

Lecznicze właściwości tego punktu akupresury sugeruje już sama jego nazwa – „Bramy Świadomości". Ten punkt ma mnóstwo zastosowań, a wiele z nich bezpośrednio wiąże się z funkcjami mózgu.

1 Usiądź na krześle z prostym oparciem. Połóż kciuki za uszami, tuż poniżej czaszki. Głowę trzymaj luźno, podtrzymując ją od tyłu dłońmi. Teraz przesuwaj kciuki po potylicy ku sobie. Zatrzymaj się, gdy dojdziesz do grubego pasma mięśni – to jest punkt akupresury. Kciuki powinny być oddalone od siebie o 5–7,5 cm. Masuj ten punkt przez minutę. Ten masaż możesz również wykonywać, leżąc na plecach.

Szybka pomoc – refleksologia

CEL
poprawa jasności umysłu

JAK CZĘSTO STOSOWAĆ
kilka razy dziennie

PRZECIWWSKAZANIA
nieznane

TEMATY POKREWNE
bóle głowy s. 46

DODATKOWE WSKAZANIA
zawroty głowy, omdlenia, gorączka

Pobudzanie refleksu odpowiedzialnego za mózg pomoże usunąć zmęczenie umysłu. To wspaniała technika, ponieważ możesz ją wykorzystywać w trakcie spotkania biznesowego, w samolocie, słowem – zawsze, kiedy potrzebujesz szybkiego pobudzenia umysłu.

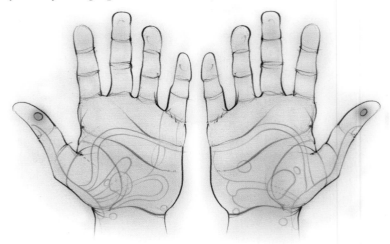

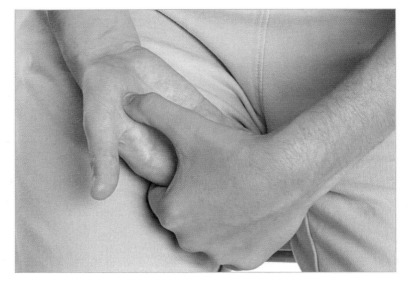

1 Wykonuj przez 2 minuty szczypanie i rotację w punkcie (patrz s. 20–21) pośrodku opuszki kciuka. Powtórz na drugiej dłoni.

Kurcze mięśni

Kurcze mięśni mogą być spowodowane nadmiernym wysiłkiem, co często przydarza się sportowcom. Samo masowanie i rozciąganie mięśnia często powoduje ustąpienie kurczu. Czasami kurcze mięśni wiążą się z zaburzeniem równowagi elektrolitowej w diecie. Jeśli kurcze występują u Ciebie często, skontaktuj się z lekarzem. Oto kilka technik automasażu pomocnych w razie kurczów występujących sporadycznie.

Akupresura w kurczach mięśni

CEL
ustąpienie kurczów mięśni

JAK CZĘSTO STOSOWAĆ
w razie wystąpienia kurczu

PRZECIWWSKAZANIA
nieznane

DODATKOWE WSKAZANIA
bóle głowy, uczulenia, zapalenie stawów, zmęczenie oczu

Pobudzanie punktu *Wątroba 3* ogólnie zalecane jest w kurczach mięśni, a zwłaszcza w kurczach mięśni stopy.

1 Połóż prawą stopę na lewym udzie. Lewym palcem wskazującym i środkowym masuj przez minutę miejsce zetknięcia się kości palucha i drugiego palca stopy. Gdy znajdziesz ten punkt, poczujesz „prąd" lub podrażnienie nerwu. Powtórz na lewej stopie.

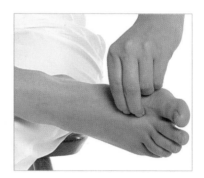

Akupresura w kurczach mięśni nóg

CEL
ustąpienie kurczu mięśni łydki

JAK CZĘSTO STOSOWAĆ
w razie wystąpienia kurczu

PRZECIWWSKAZANIA
nieznane

TEMATY POKREWNE
bóle krzyża s. 56

DODATKOWE WSKAZANIA
bóle krzyża i rwa kulszowa

Masowanie punktu *Pęcherz moczowy 57* może pomóc w ustąpieniu kurczu mięśni łydki. Nawet jeśli kurcz pojawia się tylko w jednej nodze, wskazane jest masowanie odpowiednich punktów po obu stronach ciała.

1 Aby odszukać punkt *Pęcherz moczowy 57*, przesuń kciuk w dół łydki, aż do dolnego końca mięśnia. Tu znajduje się punkt akupresury. Jeśli mięśnie łydki są w kurczu, łatwo to poczujesz. Masuj punkt kciukiem, dopóki kurcz nie ustąpi. Powtórz na drugiej łydce.

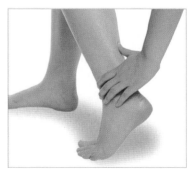

Napięcie karku i barków

Dla większości osób napięcie karku i barków jest jednym z niechcianych objawów nowoczesnego stylu życia. Przyczyn tego często należy szukać w postawie ciała w trakcie codziennych zajęć – pracy przy biurku, pisania na komputerze, garbienia się przed telewizorem, prowadzenia samochodu. Dodatkowym czynnikiem mogą być dolegliwości układu pokarmowego. Przez kark i barki przebiegają dwa ważne meridiany odpowiedzialne za pęcherzyk żółciowy i jelito cienkie. Modyfikacja diety, polegająca na ograniczeniu tłustych potraw i soli, oraz spożywanie posiłków powoli i w dobrej atmosferze, często pomaga usunąć napięcie karku i barków.

Automasaż

CEL
ustąpienie napięcia karku i barków

To krótkie ćwiczenie możesz wykonywać, siedząc przy biurku.

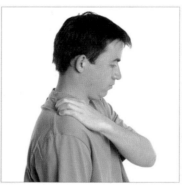

JAK CZĘSTO STOSOWAĆ
raz lub dwa razy dziennie, gdy dolegliwości występują przewlekle; częściej, gdy mają charakter ostry

PRZECIWWSKAZANIA
nieznane

TEMATY POKREWNE
bóle głowy s. 46

DODATKOWE WSKAZANIA
napięciowe bóle głowy

1 Lewą dłoń zamknij w pięść, ale nie zaciskaj jej. Jeśli to konieczne, podtrzymuj lewy łokieć prawą ręką. Przechyl głowę nieco prawo i z dowolną siłą uderzaj zamkniętą dłonią w twarde pasmo mięśniowe, biegnące na szczycie barku w górę, w stronę karku. Kontynuuj przez minutę, a następnie powtórz po drugiej stronie.

2 Lewą ręką ściskaj to samo miejsce na szczycie barku co poprzednio. Przesuń rękę z barku w górę, w stronę karku i ściskaj mięśnie karku przez minutę. Powtórz po drugiej stronie.

3 Opuszkami palców masuj mięśnie karku po obu stronach kręgosłupa, wykonując małe, okrężne ruchy od podstawy czaszki w dół, w stronę barków. Masuj przez 1–2 minuty.

Szybka pomoc – refleksologia

CEL
ustąpienie napięcia karku i barków

JAK CZĘSTO STOSOWAĆ
kilka razy dziennie

PRZECIWWSKAZANIA
nieznane

TEMATY POKREWNE
stres s. 74

DODATKOWE WSKAZANIA
uczucie napięcia, owrzodzenia, uraz komunikacyjny kręgosłupa szyjnego, bóle głowy, omdlenia

Ta prosta technika nie będzie dla Ciebie obciążająca. Wykorzystaj refleksy na dłoniach, jeśli jesteś zbyt zmęczony lub obolały, aby wykonać masaż karku i barków.

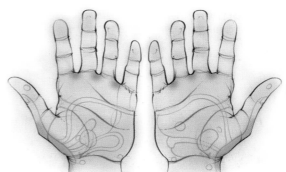

1 Wykonuj szczypanie miejsc pomiędzy palcami, a następnie pełzanie kciukiem z brzegu kłębu kciuka. Kontynuuj przez 2 minuty. Powtórz na drugiej dłoni.

Terapia punktów spustowych

CEL
ustąpienie napięcia karku i barków

JAK CZĘSTO STOSOWAĆ
dwa razy dziennie lub częściej

PRZECIWWSKAZANIA
nieznane

TEMATY POKREWNE
bóle głowy s. 46

DODATKOWE WSKAZANIA
ból głowy, ból żuchwy

Prawie każdy doświadcza uczucia napięcia w dwóch punktach spustowych mięśnia czworobocznego. Te punkty mogą powodować duże napięcie na szczycie barków, w karku oraz pomiędzy łopatką a kręgosłupem. Proste techniki automasażu przyniosą ulgę, jeśli będą powtarzane codziennie przez tydzień lub dłużej.

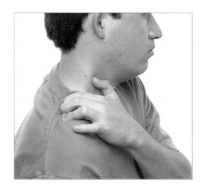

1 Odszukaj grube pasmo mięśni na przeciwległym barku. Przesuwaj palce w tym miejscu, dopóki nie znajdziesz najbardziej bolesnego miejsca – to właśnie

punkt spustowy. Nie leży on zbyt głęboko, a palcami możesz wyczuć, że jest grubości ołówka. Masuj ten punkt opuszkami palców przez 2 minuty. Powtórz po drugiej stronie.

2 Następnie połóż się na podłodze. Pomiędzy jedną łopatką a kręgosłupem umieść piłkę do tenisa. Manewruj łopatką, dopóki nie znajdziesz najbardziej bolesnego miejsca. Masuj je przez 2 minuty, przesuwając się we wszystkie strony. Powtórz po drugiej stronie.

Dolegliwości w trakcie ciąży

Automasaż może pomóc w wielu dolegliwościach związanych z ciążą, od mdłości i zgagi począwszy, a na bólu stóp i krzyża skończywszy. Jeśli odczuwasz takie dolegliwości, skorzystanie z fachowego masażu lub masażu wykonywanego przez partnera jest zawsze dobrym pomysłem. Jednak poniższe techniki automasażu również mogą przynieść dużą ulgę.

Masaż aromaterapeutyczny

CEL
ustąpienie bolesności stóp, zmęczenia, ogólnego złego samopoczucia i nadwrażliwości emocjonalnej

JAK CZĘSTO STOSOWAĆ
raz dziennie, zasadniczo wieczorem

Zmieszaj olejek lawendowy, eukaliptusowy, pomarańczowy lub różany z kilkoma łyżkami stołowymi rafinowanego oleju roślinnego. Olejek lawendowy ma właściwości relaksacyjne i usuwające ból. Olejek eukaliptusowy lub pomarańczowy doda ci energii, a olejek różany usunie smutek.

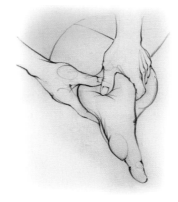
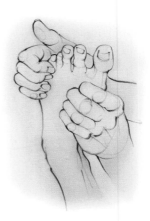

PRZECIWWSKAZANIA
uważaj, aby nie poświęcać zbyt wiele czasu na masaż małego palca stopy i okolicy tuż powyżej wewnętrznej kostki, ponieważ może to wywołać skurcze macicy. Unikaj olejku różanego w pierwszych czterech miesiącach ciąży

TEMATY POKREWNE
zmęczone stopy s. 80

1 Namocz stopy w gorącej wodzie przez kilka minut, następnie wytrzyj je i usiądź na wygodnym krześle. Rozłóż ręcznik na udzie i połóż na nim przeciwległą stopę. Weź łyżeczkę uprzednio przygotowanej mieszanki olejowej i wcieraj ją w podeszwę powolnymi, posuwistymi ruchami kciuków.

2 Zwróć uwagę na wewnętrzną powierzchnię pięty, poniżej i z boku kostki. Pamiętaj, aby masować każdy palec.

3 Masuj palcami grzbiet stopy pomiędzy kośćmi przez 5 minut na każdej stopie. Kiedy skończysz, oprzyj w cieple stopy na podpórce i odpręż się.

Akupresura

CEL
ustąpienie mdłości

JAK CZĘSTO STOSOWAĆ
w razie wystąpienie mdłości

PRZECIWWSKAZANIA
nieznane

TEMATY POKREWNE
bolesne i zatkane zatoki s. 70

DODATKOWE WSKAZANIA
bezsenność, kołatanie serca,
padaczka, choroba lokomocyjna

Właściwości tego punktu kontrolujące mdłości i wymioty mogą być wykorzystywane w każdym okresie ciąży. Doskonale sprawdza się on w chorobie lokomocyjnej.

1 Odszukaj punkt *Osierdzie 6*, znajdujący się w odległości 2,5 palca powyżej zgięcia nadgarstka, pomiędzy ścięgnami, pośrodku przedramienia. Uciskaj ten punkt głęboko kciukiem i utrzymuj silny nacisk w czasie 5–10 długich, powolnych oddechów. Powtórz po drugiej stronie.

Automasaż przeciw zgadze

CEL
złagodzenie zgagi

JAK CZĘSTO STOSOWAĆ
w razie wystąpienia objawów;
profilaktycznie pod koniec ciąży

PRZECIWWSKAZANIA
nieznane

DODATKOWE WSKAZANIA
wyciszenie umysłu

Masaż wykonuj, nie zdejmując ubrania. Ta technika daje najlepsze efekty w połączeniu z uzupełnianiem diety w składniki takie jak wapń lub enzymy trawienne.

1 Opuszkami palców masuj mostek. Rozpocznij w zagłębieniu między obojczykami i przesuwaj palce w dół, w stronę brzucha. Powtarzaj przez minutę.

2 Następnie, wykonując ten sam ruch, przesuwaj palce prosto w dół, do nadbrzusza. W ostatnim trymestrze ciąży stosuj lekki nacisk.

Bolesne i zatkane zatoki

Uczulenia, przeziębienie lub grypa mogą podrażniać zatoki. Zarówno ostre, jak i przewlekłe dolegliwości ze strony zatok mogą wskazywać na istnienie poważnego schorzenia, które wymaga leczenia przez lekarza. Automasaż może być doskonałym dodatkiem do innych sposobów leczenia.

Akupresura

CEL
ustąpienie bólu i zablokowania zatok

JAK CZĘSTO STOSOWAĆ
kilka razy dziennie

PRZECIWWSKAZANIA
nieznane

TEMATY POKREWNE
zmęczone oczy s. 42, napięcie karku i barków s. 66

DODATKOWE WSKAZANIA
punkt *Żołądek 3* – podrażnienie oczu, bóle głowy i twarzy; punkt *Pęcherz moczowy 10* – bóle głowy, sztywność karku

Te dwa punkty akupresury pomogą oczyścić zablokowane zatoki, a masaż możesz wykonać zawsze i wszędzie.

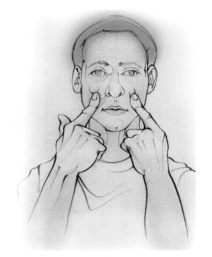

1 Odszukaj punkt *Żołądek 3*, kładąc palce wskazujące poniżej kości policzkowych i naciskając na nie w górę. Pocieraj palcami w górę i w dół wzdłuż brzegu kości, aż poczujesz delikatne zagłębienie – to jest punkt akupresury. Będzie on prawdopodobnie wrażliwy, zwłaszcza po tej stronie, gdzie odczuwasz większe zablokowanie zatok.

2 Utrzymuj stały, silny ucisk na te punkty i weź 10 głębokich oddechów.

3 Następnie odszukaj punkt *Pęcherz moczowy 10*, kładąc kciuki na mięśniach u podstawy czaszki, po obu stronach kręgosłupa. Ten punkt akupresury znajduje się dokładnie na paśmie mięśniowym. Pochyl głowę i masuj ten obszar powoli i głęboko, wykonując kciukami ruchy okrężne. Nawet jeśli nie znajdujesz się dokładnie w punkcie akupresury, masaż pomoże w ustąpieniu blokady zatok. Masuj ten punkt przez 2 minuty.

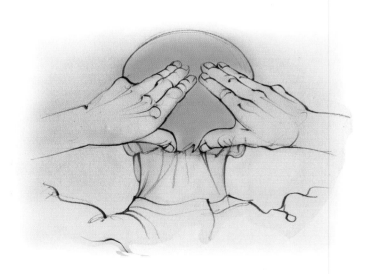

Refleksologia

CEL
ustąpienie bólu i zablokowania zatok

JAK CZĘSTO STOSOWAĆ
dwa razy dziennie

PRZECIWWSKAZANIA
nieznane

DODATKOWE WSKAZANIA
ból twarzy

Masowanie refleksów na dłoniach i stopach pomoże złagodzić dolegliwości zatok. Pamiętaj, że stopy są obszarem o generalnie większej skuteczności terapeutycznej, ale dłonie mogą je z powodzeniem zastąpić, jeśli nie możesz wygodnie wykonywać masażu stóp.

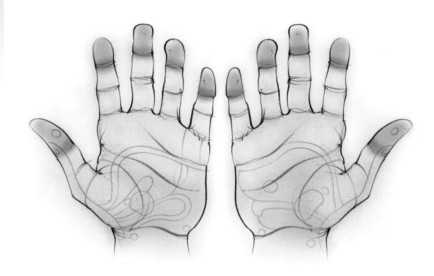

1 Wykonuj szczypanie i rotację w punkcie (patrz s. 20–21) na refleksach dłoni, jak pokazano na rysunku. Powtarzaj na każdym palcu przez minutę.

2 Refleksy odpowiedzialne za zatoki znajdują się na stopach we wskazanych miejscach (patrz rys. po prawej). Powtórz szczypanie i rotację w punkcie na stopach.

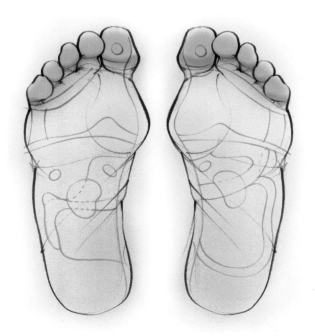

Bezsenność

Prawie każdy ma czasami problemy ze snem. Przyczyny tego mogą obejmować spożywanie zbyt dużej ilości kawy w ciągu dnia, uczucie lęku, niedostateczną ilość ćwiczeń fizycznych. Innymi przyczynami sporadycznie występującej bezsenności może być długa podróż samolotem między różnymi strefami czasowymi, działanie uboczne leków oraz ból krzyża. Przewlekła bezsenność wymaga konsultacji lekarskiej w celu odpowiedniego leczenia. Jeśli epizody bezsenności nie zdarzają się często, automasaż pomoże Cię odprężyć i zapewni dobry odpoczynek w nocy. Oto pomocne techniki.

Akupresura

CEL
ustąpienie bezsenności

JAK CZĘSTO STOSOWAĆ
zależnie od potrzeby

PRZECIWWSKAZANIA
nieznane

TEMATY POKREWNE
zmęczone oczy s. 42, dolegliwości menstruacyjne s. 60

DODATKOWE WSKAZANIA
punkt *Pęcherz moczowy 62* – zmęczenie oczu, nocne napady padaczkowe; punkt *Nerka 6* – nieregularne miesiączkowanie, wypadanie macicy

Możesz wykonywać to ćwiczenie w łóżku, bezpośrednio przed próbą zaśnięcia, lub po obudzeniu się w środku nocy, gdy nie możesz ponownie zasnąć.

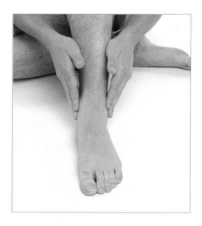

1 Odszukaj punkt *Pęcherz moczowy 62* na zewnętrznej kostce, poniżej jej dolnego brzegu. Punkt *Nerka 6* znajduje się dokładnie po przeciwnej stronie stawu skokowego, poniżej wewnętrznej kostki.

2 Opuszkami palców obu dłoni masuj te punkty przez 2 minuty, wykonując powolne, okrężne ruchy. Powtórz na drugiej kostce.

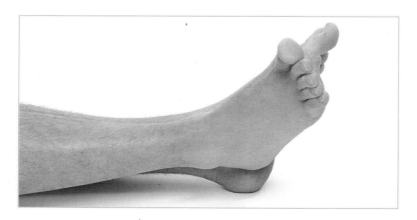

3 Jeśli leżysz w łóżku i nie chcesz siadać, spróbuj masować piętą obszar poniżej wewnętrznej kostki po przeciwległej stronie. Kontynuuj przez 2 minuty po każdej stronie, a następnie odpręż się. Powtórz ćwiczenie jeszcze raz, jeśli to konieczne.

Refleksologia

CEL
odprężenie ciała i umysłu
przed zaśnięciem

JAK CZĘSTO STOSOWAĆ
powtarzaj, dopóki nie zaśniesz

PRZECIWWSKAZANIA
nieznane

DODATKOWE WSKAZANIA
zatoki, bóle głowy, zaburzenia
poziomu glukozy we krwi

1 Wykonuj szczypanie i rotację
w punkcie (patrz s. 20–21)
na refleksach obu dłoni, jak
pokazano na rysunku. Powtarzaj
masaż każdego palca przez minutę.

Gdy leżysz w łóżku, w łagodzeniu objawów bezsenności możesz wykorzystać refleksy na obu dłoniach.

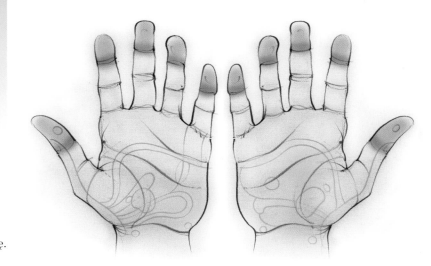

Medytacja

CEL
ustąpienie bezsenności

JAK CZĘSTO STOSOWAĆ
codziennie

PRZECIWWSKAZANIA
nieznane

DODATKOWE WSKAZANIA
uogólniony lęk, poczucie
napięcie

Spróbuj zastosować tę prostą medytację, aby zapewnić sobie odpoczynek podczas snu nocą.

1. Połóż się wygodnie na plecach lub na boku.

2. Zamknij oczy. Skoncentruj się na oddychaniu nosem – na wdechu i powolnym wydechu przez nos.

3. Teraz uświadom sobie, gdzie znajdują się Twoje stopy. Przy wdechu mów sobie: „Moje stopy są ciężkie". Przy wydechu: „Moje stopy są rozluźnione". Powtórz to przez trzy kolejne oddechy.

4. Następnie uświadom sobie, gdzie znajdują się Twoje stawy skokowe. Przy wdechu mów sobie: „Moje kostki są ciężkie". Przy wydechu: „Moje kostki są rozluźnione". Poczuj odprężające ciepło. Powtórz trzykrotnie.

5. Kontynuuj tę medytację, włączając po kolei każdą część ciała. Jeśli nie zaśniesz, a dojdziesz do głowy, zacznij całość jeszcze raz.

Stres

We współczesnym świecie trudno znaleźć kogoś, kto nie doświadczyłby działania stresu. Zrobienie przerwy i wykonanie masażu jest jednym z najlepszych działań, jakie możesz zrobić, będąc narażonym na stres. I rzeczywiście, jedną z największych korzyści masażu jest zmniejszenie skutków stresu. Bezkonkurencyjny jest masaż profesjonalny, ale automasaż również może być pomocny. Wypróbuj poniższe techniki i zobacz, która jest najlepsza dla Ciebie.

Indyjski masaż głowy

CEL
złagodzenie stresu i napięcia

JAK CZĘSTO STOSOWAĆ
codziennie

PRZECIWWSKAZANIA
nieznane

TEMATY POKREWNE
zastrzyk energii s. 40, zmęczone oczy s. 42, bóle głowy s. 46

DODATKOWE WSKAZANIA
bóle głowy, zmęczenie

Indyjski masaż głowy wykorzystywany jest od wielu wieków w celu usunięcia stresu i napięcia. Oto proste ćwiczenie, które zajmuje nie więcej niż 5 minut.

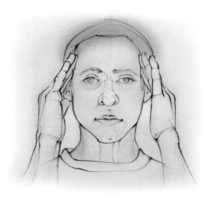

1 Połóż się lub usiądź na krześle. Przez minutę rozcieraj skronie opuszkami palców, wykonując małe, powolne ruchy okrężne.

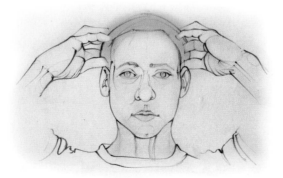

2 Następnie masuj szczyt głowy, jakbyś mył włosy. Rozpocznij tuż za skrońmi i rozcierając małymi, okrężnymi ruchami przesuwaj się w stronę potylicy. Masuj cały szczyt głowy co najmniej przez minutę.

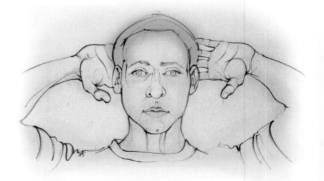

3 Na zakończenie masuj głowę, jakbyś opuszkami palców rozczesywał włosy, od grzywki przez szczyt głowy, boki i w dół przez kark w stronę barków. Powtórz ten krok 10 razy.

Szybka pomoc – refleksologia

CEL
ustąpienie stresu

JAK CZĘSTO STOSOWAĆ
kilka razy dziennie

PRZECIWWSKAZANIA
nieznane

TEMATY POKREWNE
zastrzyk energii s. 40

DODATKOWE WSKAZANIA
zmęczenie

Ten masaż możesz wykonywać, gdy jesteś szczególnie narażony na stres, a nie masz czasu, aby zastosować dłuższy automasaż. Korzyścią refleksologii dłoni jest możliwość wykonywania jej bez wiedzy innych osób, podczas stresującego spotkania lub w drodze do pracy.

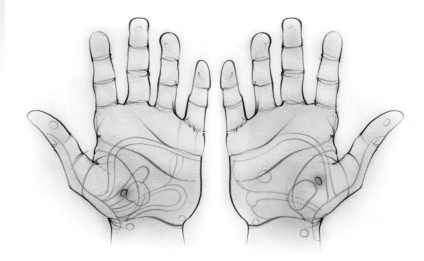

1 Wykonuj szczypanie i rotację w punkcie (patrz s. 20–21) na refleksach, jak pokazano na rysunku powyżej. Kontynuuj przez 5 minut na każdej dłoni.

2 Możesz również umieścić małą, twardą kulkę pomiędzy dłońmi i ściskać ją. Przesuwaj kulkę po wewnętrznej powierzchni dłoni.

Medytacja

CEL
ustąpienie stresu

JAK CZĘSTO STOSOWAĆ
dwa razy dziennie lub częściej

PRZECIWWSKAZANIA
nieznane

DODATKOWE WSKAZANIA
zaburzenia snu, lęk

Medytacja to wypróbowany i dobry środek na stres. Medytacja, polegająca na koncentrowaniu umysłu, pomaga oddzielić go od przyczyn stresu na tyle, aby zdać sobie sprawę, że możliwe jest normalne działanie. W ostatnich kilku latach przeprowadzono wiele badań potwierdzających właściwości medytacji pomagające ograniczyć stres i ułatwiające leczenie. Oto krótka medytacja ułatwiająca radzenie sobie ze stresem.

1. Usiądź w wygodnej pozycji – po turecku na podłodze lub krześle.

2. Zamknij oczy i oddychaj przez nos powoli i głęboko. Skoncentruj się na wdechu i wydechu nosem. Odliczaj od tyłu od dziesięciu do jednego. Możesz wyobrażać sobie liczby w głowie, jeżeli pomoże to skupić się na oddychaniu i ignorować inne myśli.

3. Gdy doliczysz do jednego, powtórz odliczanie ponownie. Możesz powtórzyć ten krok kilka razy, zanim przejdziesz dalej.

4. Uświadom sobie, gdzie znajduje się środek klatki piersiowej. Poczuj w niej delikatne ciepło. Przez kilka następnych oddechów, pozwól temu uczuciu ciepła rozprzestrzeniać się z serca, aż poczujesz, że całe ciało delikatnie nim promieniuje. Jeśli się rozproszysz, uświadom sobie ponownie, gdzie jest środek klatki piersiowej. Za każdym razem, gdy przychodzą stresujące myśli, wyobraź sobie, że zawijasz je w ciepło i energię z serca, aż poczujesz, że się rozpływają. Kontynuuj tę medytację co najmniej przez 10 minut. Wykonuj ją dla ustąpienia każdej stresującej sytuacji.

Obrzęki

Zatrzymanie wody i obrzęki mogą być uciążliwą i przykrą dolegliwością lub objawem poważnego schorzenia. Obrzęki wywołane chorobą nerek, wątroby lub serca, cukrzycą, AIDS lub innymi chorobami powinien leczyć lekarz. W każdym razie nie zaleca się stosowania silnego i głębokiego masażu na opuchnięte miejsca. Jednakże specjalny rodzaj masażu, ręczny drenaż limfatyczny, jest w tym przypadku nadzwyczaj korzystny. Jego skuteczność jest największa, gdy jest wykonywany przez wyszkolonego zawodowca, chociaż przy mniejszych obrzękach również prosty automasaż może przynieść ulgę.

Ręczny drenaż limfatyczny

CEL
zmniejszenie obrzęków

JAK CZĘSTO STOSOWAĆ
dwa razy dziennie

PRZECIWWSKAZANIA
skonsultuj z lekarzem charakter schorzenia wywołującego obrzęki

TEMATY POKREWNE
problemy z krążeniem s. 32, bóle kolan s. 54, dolegliwości w trakcie ciąży s. 68, zmęczone stopy s. 80

Ręczny drenaż limfatyczny jest masażem wykorzystującym lekki dotyk i służy poprawie przepływu limfy, która może gromadzić się w tkankach miękkich i powodować obrzęk. Celem tego masażu jest zmniejszenie obrzęku dzięki skierowaniu limfy do narządów limfatycznych i umożliwieniu jej ponownego przepływu i krążenia.

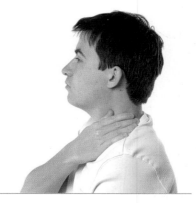

1 Rozpocznij od masażu szyi, gdzie znajduje się dużo węzłów chłonnych. Połóż dłonie ze złączonymi palcami po obu stronach szyi, tuż poniżej uszu. Poruszając ramionami (palce pozostają nieruchome), wykonaj bardzo powoli 5 okrężnych ruchów poniżej uszu.

2 Przesuń dłonie 2,5 cm w dół i powtórz ćwiczenie. Przesuń dłonie raz lub dwa razy, powtarzając te same delikatne ruchy okrężne, aż dojdziesz do podstawy karku. Powtórz całość 3–5 razy.

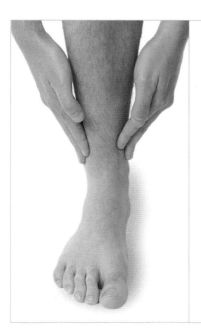

3 Następnie przejdź do obrzękniętego miejsca. Wykorzystuj obie dłonie, jak w masażu szyi; w przypadku masażu ramienia, będziesz mógł użyć tylko jednej ręki. Masuj powoli, wykonując delikatne ruchy okrężne, zgodnie z kierunkiem przepływu limfy. Powtórz 3–5 razy.

- W przypadku stóp, kostek i goleni: masuj w stronę kolan.
- W przypadku ud, podbrzusza, bioder i pośladków: masuj w stronę pachwiny.
- W przypadku krzyża: masuj w stronę pasa i talii.
- W przypadku nadbrzusza, klatki piersiowej i ramion: masuj w stronę pach.
- W przypadku szyi i barków: masuj w stronę obojczyka.
- W przypadku twarzy i głowy: masuj w stronę żuchwy i karku.

Szybka pomoc – akupresura

CEL
ustąpienie obrzęków w dolnej części ciała

JAK CZĘSTO STOSOWAĆ
trzy do pięciu razy dziennie

PRZECIWWSKAZANIA
nie uciskaj bezpośrednio obrzękniętych miejsc

TEMATY POKREWNE
bóle kolan s. 54, dolegliwości menstruacyjne s. 60

DODATKOWE WSKAZANIA
ból kolan, skurcze w trakcie miesiączki

Ten punkt akupresury jest przydatny w obrzękach dolnych części nóg i stóp.

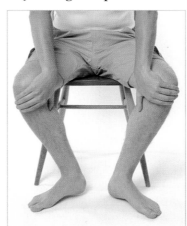

1 Odszukaj punkt *Śledziona 9*, przesuwając palce prawej dłoni w górę po wewnętrznej stronie prawej goleni. W miejscu, gdzie zaczyna się kolano, poczujesz zaokrąglenie, a poniżej poczujesz wrażliwe miejsce – to punkt akupresury.

2 Odszukaj lewą dłonią punkt akupresury na lewej nodze. Dłońmi masuj punkty na nogach, wykonując ruchy okrężne. Kontynuuj przez 2 minuty. Jeśli możesz, po skończeniu masażu unieś stopy.

Zmęczone stopy

Stopy pracują ciężko cały dzień, a mimo to często nie doceniamy ich roli i zaniedbujemy je. Źle dobrane obuwie, ciasne skarpety i pozostawanie w pozycji stojącej przez długi czas przyczyniają się do podrażnienia i bólu stóp. Masaż stóp może odmłodzić całe ciało, ponieważ na stopach znajduje się wiele zakończeń nerwowych. Automasaż stóp to wspaniały sposób relaksacji na zakończenie długiego dnia.

Masaż *shiatsu*

CEL
ustąpienie bólu stóp

JAK CZĘSTO STOSOWAĆ
codziennie

PRZECIWWSKAZANIA
nie masuj owrzodzeń i otwartych ran

TEMATY POKREWNE
zastrzyk energii s. 40,
dolegliwości w trakcie ciąży s. 68,
stres s. 74

DODATKOWE WSKAZANIA
zmęczenie, napięcie, ciąża

Aby wykonać ten masaż, usiądź na podłodze z nogami założonymi jedna na drugą, a plecom zapewnij oparcie. Jeśli nie jesteś na tyle sprawny, możesz również wykonać ten masaż, siedząc na krześle.

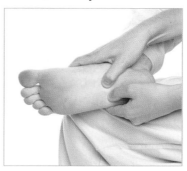

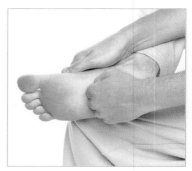

1 Na początku połóż prawą stopę na lewym udzie. Trzymając kciuki razem, a pozostałymi palcami obejmując grzbiet stopy, uciskaj w linii prostej od środka pięty w stronę palców. Następnie w podobny sposób masuj od wewnętrznego brzegu pięty wzdłuż łuku stopy, a na zakończenie od zewnętrznego brzegu pięty w stronę dwóch ostatnich palców. Powtórz całość. Za każdym razem uciskaj przez sekundę.

2 Następnie zaciśnij lewą rękę w pięść. Tocz pięść po podeszwie od pięty w stronę palców. Powtórz to 3 lub 4 razy.

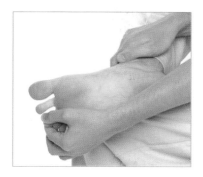

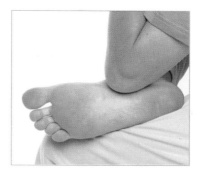

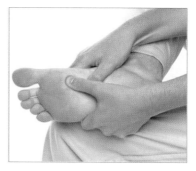

3 Teraz chwytaj kciukiem i pozostałymi palcami każdy palec u stopy. Okręcaj i ściskaj każdy palec u stopy przez 15 sekund.

4 Jeśli jesteś wystarczająco sprawny, uciskaj podeszwę stopy lewym łokciem, wykonując nim małe, okrężne ruchy. Po kilku sekundach przejdź do kolejnego miejsca. Zwróć uwagę na bolesne miejsca.

5 Na zakończenie ściskaj stopę kciukiem i pozostałymi palcami. Zacznij blisko pięty, uciskaj przez 1–2 sekundy, a następnie przesuwaj palce w stronę palców u stopy. Powtórz ćwiczenie dwukrotnie i wykonaj masaż na lewej stopie.

Szybka pomoc – automasaż

CEL
ustąpienie bolesności stóp

JAK CZĘSTO STOSOWAĆ
codziennie

PRZECIWWSKAZANIA
nie masuj owrzodzeń i otwartych ran

TEMATY POKREWNE
zastrzyk energii s. 40, dolegliwości w trakcie ciąży s. 68, stres s. 74

DODATKOWE WSKAZANIA
zmęczenie, napięcie, ciąża

To doskonała technika do wykonywania w trakcie siedzenia lub pracy przy biurku.

1. Podłóż pod stopę piłeczkę do golfa. Naciskaj na nią i tocz ją pod stopą.

2. Pamiętaj, aby naciskać pod łukiem stopy oraz na palce.

3. Aby utrzymać piłeczkę w miejscu, pomagaj sobie drugą stopą.

4. Powtórz na drugiej stopie.

Ból zębów

Ból zębów może być spowodowany próchnicą lub innymi schorzeniami stomatologicznymi. Wizyta u dentysty i fachowe leczenie są bardzo ważne. Poniższe techniki automasażu pomogą poradzić sobie w pierwszej chwili z bólem oraz po zabiegu dentystycznym.

Refleksologia

CEL
ustąpienie bólu zębów

JAK CZĘSTO STOSOWAĆ
w razie potrzeby

PRZECIWWSKAZANIA
nieznane

DODATKOWE WSKAZANIA
zaburzenia czynności tarczycy,
ból karku

Sama refleksologia może nie zlikwidować bólu zęba, ale na pewno przyniesie chwilową ulgę.

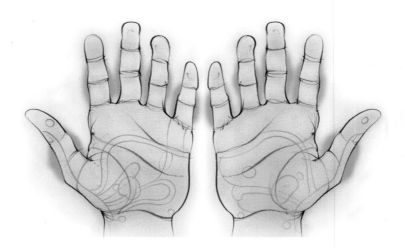

1 Refleksy odpowiedzialne za zęby znajdują się w okolicy pierwszych stawów palców dłoni i stóp (patrz rys. powyżej).
Na początku palcem wskazującym i kciukiem jednej dłoni pobudzaj stawy palców na drugiej dłoni. Uwzględnij również pierwszy staw kciuka. Wykonaj szczypanie (patrz s. 20) tego obszaru. Masuj każdy palec przez minutę.

2 Następnie w podobny sposób wykonuj szczypanie pierwszego stawu palców stóp (oprócz palucha).

Szybka pomoc – akupresura

CEL
ustąpienie bólu zębów

JAK CZĘSTO STOSOWAĆ
w razie potrzeby

PRZECIWWSKAZANIA
ciąża

TEMATY POKREWNE
zaparcia s. 36, bóle głowy s. 46

DODATKOWE WSKAZANIA
zaparcia, bóle głowy, bóle twarzy

Dobrze znany punkt *Jelito grube 4* może pomóc w ustąpieniu bólu zębów. Punkt ten można również wykorzystywać do łagodzenia bólu po zabiegach dentystycznych.

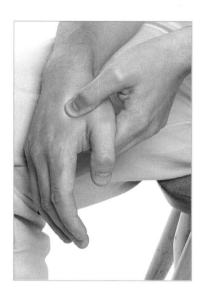

1 Punkt *Jelito grube 4* znajduje się w miejscu połączenia kciuka i palca wskazującego na grzbiecie ręki. Aby odnaleźć ten punkt, przesuń kciuk do miejsca, gdzie łączą się kości palca wskazującego i kciuka, a następnie naciskaj na kość palca wskazującego, dopóki nie znajdziesz bolesnego miejsca. Masuj ten punkt głęboko, wykonując małe, okrężne ruchy, dopóki ból nie zmniejszy się.

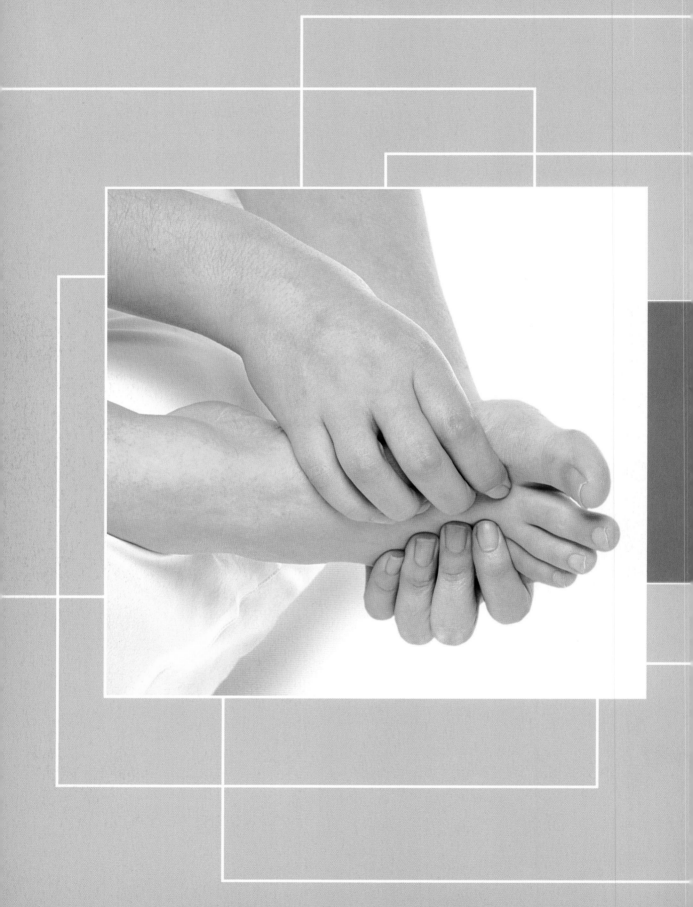

JAK UTRZYMAĆ DOBRĄ FORMĘ

Do-in: tradycyjny automasaż azjatycki

Do-in to tradycyjny automasaż pochodzący z Azji, usuwający napięcie, pobudzający punkty akupresury, rozluźniający sztywne stawy oraz na nowo napełniający siłami całe ciało. Obecnie wielu nauczycieli akupresury uważa, że sztuka ta rozwinęła się w starożytności, wykorzystując naturalną tendencję do rozcierania i naciskania bolesnych obszarów ciała. Mnisi taoistyczni jako pierwsi usystematyzowali to naturalne, samodzielne postępowanie lecznicze, nazywając je *tao-yin* („droga" lub „łagodne podejście"). *Tao-yin* było uważane zarówno za metodę leczniczą, jak i profilaktyczną. Określane w języku japońskim terminem *do-in* jest obecnie techniką używaną jako forma *shiatsu*.

Celem automasażu według tego stylu jest harmonizowanie przepływu energii przez każdy meridian (czyli specjalny kanał energii, wykorzystywany przez medycynę chińską, patrz s. 18). *Do-in* pomaga eliminować z organizmu substancje toksyczne, tonizuje mięśnie i skórę, poprawia krążenie krwi, zwiększa sprawność fizyczną, zmniejsza ból oraz korzystnie wpływa na świadomość.

Do-in możesz wykonywać stojąc lub siedząc. Może to być szybki, pięciominutowy energetyzujący masaż lub trwająca godzinę sesja lecznicza, kiedy dokładnie zajmujesz się stawami, mięśniami i bolesnymi punktami akupresury. Wskazane jest krótkie odprężenie po tym masażu, aby jego efekty mogły dotrzeć do ciała i umysłu. W tym celu możesz usiąść na krześle i zamknąć oczy na kilka minut lub położyć się na plecach na podłodze i odpocząć przez 10 minut. Postępuj według zestawu wskazówek na stronach 87–93, zaczynając od głowy, a skończywszy na stopach. Możesz również wybrać część tych wskazówek, gdy chcesz skupić się na określonym obszarze ciała.

Głowa

1 Złóż ręce w pięści, nadgarstki trzymaj luźno. Opukuj szczyt, boki i tył głowy.

2 Nadal trzymając pięści lekko zaciśnięte, okrężnymi ruchami opukuj każdą stronę głowy.

3 Opuszkami palców masuj od czoła, przez szczyt głowy w dół, w stronę karku, wykonując ruchy jak przy czesaniu włosów i/lub pocierając okrężnymi ruchami.

Twarz

1 Opuszkami palców masuj czoło, pocierając okrężnymi ruchami. Rozpocznij pośrodku i masuj w stronę skroni.

3 Opuszkami palców rozcieraj czubek nosa, wykonując okrężne ruchy.

2 Kontynuuj, wykonując małe, okrężne ruchy na mięśniach żuchwy i policzkach.

4 Rozcieraj i ściskaj uszy.

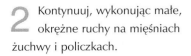

Szyja i kark

1 Opuszkami palców masuj energicznie szyję.

2 Ugniataj mięśnie po obu stronach karku.

3 Weź głęboki oddech.
Przy wydechu rozciągaj się, dotykając prawym uchem do prawego barku, a następnie – lewym uchem do lewego barku. Przy wdechu przyciskaj podbródek do klatki piersiowej. Patrząc do góry przy wdechu, rozciągaj szyję. Uderzaj brzegiem dłoni (jak cios karate) po bokach karku w stronę barków.

Barki

1 Lekko zaciśniętymi pięściami uderzaj barki, używając prawej ręki dla lewego barku i odwrotnie.

2 Chwytaj i ugniataj obszar od podstawy karku w bok, w stronę stawu ramieniowego. Powtórz po drugiej stronie.

3 Wykonuj ramionami kilka okręgów w tył i w przód.

4 Zrób wdech i podnieś barki, jakbyś chciał dotknąć uszu. Zrób wydech i cofnij barki w dół i do tyłu. Powtórz 3 razy.

Ręce i ramiona

1 Lekko zaciśniętą pięścią opukuj wewnętrzną stronę ramienia w dół, aż do palców i z powrotem w górę. Powtórz 3 razy.

2 Ugniataj, ściskaj i skręcaj mięśnie ramienia, od miejsca tuż pod pachą, aż do dłoni.

3 Wykonuj energiczne ruchy, jakbyś mył ramię szczotką.

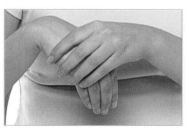

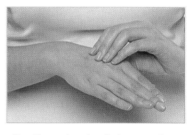

4 Rozciągaj nadgarstki w obu kierunkach.

5 Delikatne naciskanie palców pomoże rozciągnąć nadgarstek.

6 Opuszkami palców masuj przestrzenie pomiędzy kośćmi śródręcza.

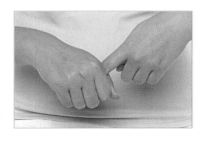

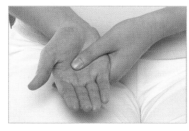

7 Ściskaj i przekręcaj każdy palec (również kciuk), od jego podstawy do opuszki.

8 Kciukiem masuj dłoń.

9 Wstrząśnij całym ramieniem. Powtórz na drugiej ręce.

Tułów

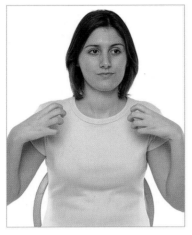

1 Silnie zegnij palce.
Przy głębokim wdechu opukuj szybko opuszkami palców klatkę piersiową od przodu.

2 Zrób wydech przez usta i poklepuj się całymi dłońmi po żebrach. Powtórz 3 razy.

3 Powtórz ten krok na bocznych odcinkach żeber.

4 Połóż palce tuż pod klatką piersiową. Weź głęboki wdech. Podczas wydechu pochyl się i opuszkami palców masuj głęboko brzuch. Powtórz 3–5 razy, za każdym razem przesuwając palce w nieco inne miejsce na brzuchu.

5 Trzymając wszystkie palce razem, zakreślaj nimi małe kółka na brzuchu. Zacznij tuż pod mostkiem, na godzinie 12. Masuj przez 15 sekund. Następnie przesuń opuszki palców

na godzinę 1 i masuj, ponownie wykonując małe, okrężne ruchy. Kontynuuj, aż z powrotem dojdziesz do godziny 12. Teraz zmień kierunek na przeciwny i wykonaj kolejnych 12 kółek.

Plecy

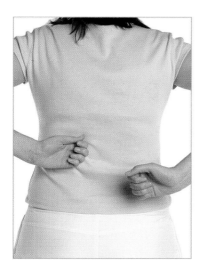

1 Lekko zaciśnij dłonie w pięści. Poklepuj okolicę krzyża, w dół od żeber w kierunku kości ogonowej. Następnie poklepuj okolicę kości ogonowej i pośladki.

2 Połóż ręce w talii, kciuki kierując do tyłu, a pozostałe palce do przodu. Przesuwaj kciuki po mięśniach wzdłuż kręgosłupa. Gdy uciskasz masowane mięśnie kciukami, odchylaj się do tyłu. Przesuń kciuki nieco dalej w dół i powtórz ćwiczenie.

Nogi i stopy

Możesz wykonywać te ćwiczenia, siedząc na krześle lub podłodze.

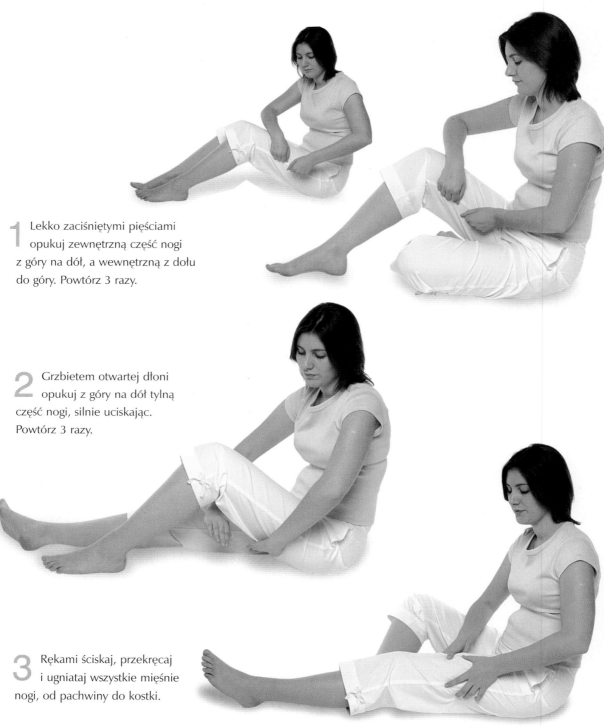

1 Lekko zaciśniętymi pięściami
opukuj zewnętrzną część nogi
z góry na dół, a wewnętrzną z dołu
do góry. Powtórz 3 razy.

2 Grzbietem otwartej dłoni
opukuj z góry na dół tylną
część nogi, silnie uciskając.
Powtórz 3 razy.

3 Rękami ściskaj, przekręcaj
i ugniataj wszystkie mięśnie
nogi, od pachwiny do kostki.

Nogi i stopy – ciąg dalszy

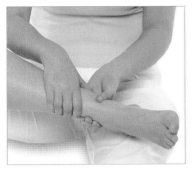

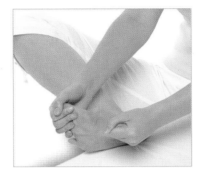

4 Połóż stopę na udzie. (Żeby wykonać to ćwiczenie, możesz usiąść na krześle). Obejmij kostkę dłońmi i energicznie potrząsaj stopą.

5 Rozciągaj palce w stronę grzbietu stopy, a przeciwną ręką – lekko zaciśniętą w pięść – poklepuj podeszwę stopy.

6 Kciukami masuj podeszwę stopy.

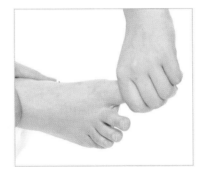

7 Opuszkami palców masuj przestrzenie pomiędzy kośćmi na grzbiecie stopy.

8 Masuj i przekręcaj każdy palec stopy.

9 Delikatnie uderzaj nogą w podłoże. Powtórz całą sekwencję ćwiczeń na drugiej nodze. Odpocznij z zamkniętymi oczami przez 5–10 minut, leżąc na podłodze lub siedząc na krześle z oparciem. Oddychaj głęboko, a brzuch niech podnosi się i opada z każdym oddechem. Gdy uznasz, że jesteś gotowy, otwórz oczy, wstań i poczuj pozytywną zmianę energii.

Podziękowania

Wszystkie zdjęcia Neil Sutherland,
oprócz: s. 6 Mary Evans Picture Library,
s. 7 Werner Forman Archive.
Rysunki Juliet Percival

Chciałabym podziękować moim nauczycielom: Michaelowi Reedowi Gachowi i instruktorom z Acupressure Institute w Kalifornii, Saulowi Goodmanowi i instruktorom z International School of Shiatsu w Pensylwanii. Dziękuję Rene Stephens, Valerie Hartman i Genie Hardee za przeczytanie maszynopisu oraz ich sugestie i komentarze. Chciałabym również podziękować Jane Ellis z Chrysalis Books za jej cierpliwość oraz metodyczną organizację i redakcję tekstu, oraz Juliet Percival za piękne rysunki. Szczególne podziękowania kieruję do mojej drogiej przyjaciółki Martiny Barnes za jej miłość, wsparcie i zachęcanie. Na zakończenie dziękuję mojemu mężowi Bhaveshowi oraz mojemu małemu Bhaerava'owi za umożliwienie powstania tej książki.

Kristine Kaoverii Weber